الحداثة
كحاجة دينية

الحداثة كحاجة دينية

د. توفيق السيف

الدار العربية للعلوم ـ ناشرون ش.م.ل
Arab Scientific Publishers, Inc. S.A.L

مركز آفاق للدراسات والأبحاث

ردمك 6-211-29-9953

الطبعة الأولى

1427 هـ - 2006 م

مركز آفاق للدراسات والأبحاث
فاكس: 96638370271 +
البريد الإلكتروني: aafaq2006@maktoob.com
المملكة العربية السعودية

الدار العربية للعلوم - ناشرون ش.م.ل
Arab Scientific Publishers, Inc. S.A.L
عين التينة، شارع المفتي توفيق خالد، بناية الريم،
هاتف: 860138 - 785108 - 785107 (1 - 961)
ص.ب: 5574 - 13 شوران - بيروت 2050 - 1102 - لبنان
فاكس: 786230 (1 - 961) - البريد الإلكتروني: asp@asp.com.lb
الموقع على شبكة الإنترنت: http://www.asp.com.lb

التنضيد وفرز الألوان: أبجد غرافيكس، بيروت - هاتف 785107 (9611)
الطباعة: مطابع الدار العربية للعلوم، بيروت - هاتف 786233 (9611)

المحتويات

مقدمة

هذه مرافعة على شكل حوار بين عقلين غرضها المساهمة في توضيح السؤال الذي أحسبه أكثر الأسئلة إثارة للحرج في ثقافتنا الدينية المعاصرة، سؤال: كيف ينهض المسلمون من سباتهم المزمن، وكيف يعودون إلى قطار الحضارة بعدما نزلوا أو أُنزلوا منه. أقول إنها مرافعة وليست بحثاً علمياً، فهي سلسلة من التساؤلات يتلو كل منها ما يشبه الجواب، لكنه جواب مؤقت، إذ لا يلبث أن يثير سؤالاً آخر يتلوه جواب أولي وهكذا. فالغرض إذن ليس تقديم أجوبة نهائية. حقيقة الأمر إني لا أظن ذلك السؤال محتاجاً إلى جواب نهائي. في ظني إن جواب سؤال النهضة ليس من نوع الأجوبة التي نقرؤها عادة في الكتب. نهضة الأمم تبدأ بولادة روحية النهضة، وروحية النهضة هي في المقام الأول استيعاب شعوري للواقع الذي يعيشه الإنسان وتعيشه الجماعة، يتلوه تأمل في المخارج، أي تساؤلات متواصلة عن موضوع النهضة وبحث عن كيفياتها وسبلها ومراحلها وحاجاتها. هذه الأسئلة هي التمهيد الذهني لولادة مشروع النهضة. مشروع النهضة أكبر من برنامج عمل مثل تلك البرامج التي تضعها الحكومات أو الشركات، إنه أقرب إلى حراك مجتمعي يساهم فيه

كل فرد أو نسبة معتبرة من الأفراد كلاً بحسب خلفيته وطبيعة همومه واهتماماته. ثم تتكثف نتائج ذلك الحراك على صورة لغة جديدة وروحية جديدة وعقل جمعي جديد، يجمع بينها صفات مشتركة أبرزها الثقة بالذات والانفتاح على المحيط والأمل في المستقبل. وفي ظني إن السؤال هو بداية ذلك كله. كل سؤال هو نتاج شك في الواقع وهذا الشك هو بداية اليقظة وهو دلالة وعي العقل. ولا يحتاج التقدم إلى أكثر من عقول متيقظة تنظر وتعترض وتسعى للفهم والتفسير والتغيير.

لسنا بحاجة إلى تكرار ما نعرفه عن حالة التخلف التي نعيشها فمظاهرها وانعكاساتها ومشكلاتها أبلغ تعبيراً من أي كلام. إن تخلفنا واضح في مجال العلوم، فنحن لا ننتج العلم ولا نطور ما نتعلمه من علوم الآخرين. وتخلفنا ظاهر في مجال المعيشة، فاقتصاديات العالم الإسلامي كلها لا تعني بالحاجات الحديثة لأهله رغم ضخامة ما تنطوي عليه بلاد المسلمين من الموارد الطبيعية، وما يمكن ابتكاره من إمكانات للثراء. والأمر ظاهر أيضاً في الثقافة الاجتماعية وما يقوم عليها من قيم سلوكية وعلاقات، فهي لا زالت محكومة بتقاليد أكل الدهر عليها وشرب ولا زال دينها مختلطاً بالخرافة والأسطورة، وديدنها البكاء على الأطلال والفخر بالذين بادوا بعدما سادوا. أما في مجال السياسة، فالعالم الإسلامي هو الإقليم الوحيد بين مختلف أقاليم العالم الذي لا زال أهله محرومين من حرياتهم الأولية، مهدورة حقوقهم التي يتمتع بها سائر البشر دونهم، وهو الإقليم الوحيد الذي ما زال قادراً على إنتاج أمثال راسبوتين ولويس

الخامس عشر وستالين، بعدما أصبحوا مجرد تذكارات في متاحف بلادهم.

منذ أواخر القرن التاسع عشر الميلادي وحتى اليوم سالت أنهار مـــن الحبر في البحث عن مسألة النهضة، ماهيتها وشروطها والميل الأول في طـــريقها، وهذا قد يجعل أي كتابة أخرى حول الموضوع تكـــراراً لما قيل. ولهذا فإن هذه المرافعة لا تزعم أنها تقدم جديداً لم يطـــرقه طارق من قبل. كما لا تزعم أنها تعالج الموضوعِ من شتى جوانبه. وقد أسلفت إنها أقرب إلى سلسلة من الأسئلة تدور حول محور واحد هو تجديد الثقافة الدينية. الغرض من التجديد المنظور في هـــذه المـــرافعة هو المعاصرة، أي إعادة إنتاج الثقافة الدينية ضمن شـــروط العصر الذي يعيشه إنسانها. وهي تجادل بأن المعاصرة تعني على وجه التحديد الانعتاق من عصر التقاليد والانضمام إلى مسيرة الحداثـــة. كمـــا تجادل بأن الانعتاق المرجو غير قابل للتحقق دون الانفـــتاح الايجابي على الآخر الحضاري أي الغرب. هذه الدعوة لا تغفل التحديات التي ينطوي عليها مثل هذا الانفتاح، بل ولا تغفل حقـــيقة إن العالم الإسلامي لم يجن من انفتاحه الأول غير الكارثة. لكـــنها مـــع ذلك تدعو إلى تكرار التجربة بوعي مختلف وبهدف مخـــتلف: نحن بحاجة إلى التعلم من المدنية الغربية كي نستغني عنها، كما يتعلم التلميذ من معلمه ثم يواصل طريق العلم حتى يستغني عن المعلـــم. لقد جرت سيرة الأمم التي تحضرت على هذا النحو: تعلّم العـــرب مـــن حضارة الفرس واليونان وغيرهما من الحضارات التي سبقتهم حتى تجاوزوها، وتعلّم الغرب من المسلمين حتى تجاوزوهم، وأملنا أن نتعلم من الغرب ثم نتجاوزه.

الذين كتبوا أو تحدثوا في هذه المسألة صرفوا جل جهدهم لعـــلاج هاتين الإشكاليتين: دور الدين في النهوض الحضاري والعلاقــة مع الغرب. معظم الباحثين الغربيين تبنوا فكرة إن الــسبيل الوحـــيد لالتحاق المسلمين بقطار المدنية هو تبنّيهم لـــنموذج الحداثة الغربي، أي إعادة صياغة حياتهم كلها وفق ذلك النموذج. لكنهم لاحظوا أيضاً - كما فعل بيندر - إن هـــذه الدعوة لم تلق استجابة أبداً، وكان محور الممانعة الدائم هـــو تمسّك المسلمين بدينهم[1]. وعلى الجانب الإسلامي فإن جمـــيع الإسلاميين - إلا القليل منهم - متفقون على ضرورة المحافظـــة علـــى ما يصفونه بالأصالة التي يعرفها محمد عمارة بجذور الثقافة وثوابتها المستمرة "أي هويتها الممثلة للبصمة التي تميزها عن غيرها من ثقافات أمم الحضارات الأخرى"[2]. ومع الإلحـــاح علـــى التمـــسك بالأساس الإسلامي للثقافة، فإن الإسلاميين الذين تحدثوا في مسالة النهضة قد اختلفوا في حدود الانفـــتاح على الغرب اختلافاً كبيراً بين مضيّق له إلى أقصى الحدود وبين متوسع فيه. لكن السمة الغالبة على كتاباتهم هي غلبة القلق من العواقب المحتملة لانفتاح كهذا، ولهذا فإن تلك الكتابات مالت غالباً إلى تغذية روح الممانعة بدل التفكير في الــصور الممكنة لتفاعل نقدي، أي انفتاح على الغرب دون انبهار به وتعلّم منه دون التخلي عن دور الناقد له.

---

(1) Leonard Binder, *Islamic Liberalism,* (Chicago 1988), University of Chicago Press, pp. 78-83

(2) محمد عمارة، أزمة الفكر الإسلامي الحديث (دمشق 1998)، دار الفكر، ص 38.

ليس من شك أن الدراسات الغربية حول التنمية في العالم الثالث - ومنه العالم الإسلامي - متأثرة في جانب كبير من فرضياتها النظرية بالأساس الإيديولوجي الذي قامت عليه نظرية التنمية والتحديث. التنمية كنظرية ليست مجرد بحث ميداني في موضوعها، بل إن البحث في الموضوع هو فرع عن الفرضيات النظرية التي تشكل بذاتها أيديولوجيا أو تطبيقاً لمقولات أيديولوجية. والمرجح إن معظم الباحثين يدركون أن نظرية التنمية التي صيغت بناء على التجربة التاريخية الخاصة بالمجتمعات الغربية قد لا تكون قابلة للتطبيق على مجتمعات أخرى تختلف من حيث التجربة التاريخية أو نظام الحياة، لكنهم مع ذلك لا يستطيعون الانسلاخ من ذلك الإطار المعرفي الذي يوفر أدوات البحث والملاحظة والتفسيرات وقياس النتائج. لا يمكن في الحقيقة لأي باحث في أي علم من العلوم أن يبدأ بحثه من دون فرضيات مسبقة وفهم مسبق لموضوع العمل وإشكالاته. هذا الفهم وتلك الفرضيات هي - شاء الباحث أم أبى - مقولات مشوبة بأيديولوجيا محددة أو قائمة على أساس تلك الأيديولوجيا. ما يبدو من النظرة الأولى علماً مجرداً هو في حقيقة الأمر علم مؤطر، أي إن مقولاته مشروطة بالمنظومة المعرفية أو الاجتماعية التي يقوم ضمنها - كما رأى توماس كون -. نعلم أيضاً أن الأيديولوجيا تميل إلى تعميم نفسها وادعاء القدرة على فهم كل حقيقة في العالم، بل تقديم الصورة الوحيدة الحقيقية عن العالم. لهذا السبب فإن طروحات الباحثين الغربيين لم تنجح في تقديم حل عملي لمشكلة النهضة في العالم الثالث، كما لم تنجح في تقديم إطار قابل للتفعيل للعلاقة بين الغرب والعالم الإسلامي.

والكـلام نفسه يقال عن محاولات الباحثين المسلمين، فهي رغـم إحساسها بالحاجة إلى علاقة من نوع ما مع العالم الغربي، وإن هذه العلاقة ضرورية للنهوض بالعالم الإسلامي، إلا إن غلبة الأيديولوجـيا على البحث قد أعاقت التوصل إلى صيغة مناسبة للعلاقـة. إن الإصرار على فكرة الأصالة لم يؤد أبداً إلى توضيح طبيعـتها أو مكانهـا من مشروع النهضة رغم الجهد الذي بذله كـثيرون في هذا السبيل. بل إن التأكيد على هذا المعنى قد تحول فعلياً إلى إعادة إنتاج فكرة الأصالة في معنى المحافظة على التقاليد والبحث عن حلول لمشكلات العصر في التراث، بدل أن تخدم - كما هو مفترض - معنى المعاصرة، أي إعادة إنتاج الفكر والثقافة الإسلامية وفق حاجات العصر وحقائقه وما استجد فيه.

ويقـودنا هـذا المـشكل إلى التساؤل عن مدى الحاجة الحقيقية إلى هذا التراث، أو لنقل - بشيء من التحفظ - عن مقـدار التراث الذي يشكّل حاجة حقيقية لمسلم العصر. ولا نـتحدث عـن التراث هنا باعتباره مجرد تجربة أو كنـزاً من المعـرفة المستقاة من التجارب، بل باعتباره جزءاً من معرفتنا الدينـية، أي جزءاً مما نعتبره ديناً لنا، ومكوناً رئيسياً لثقافتنا وشخصيتنا وأفعالنا وعلاقتنا بالعالم ومصدراً للمعايير التي نقيّم بهـا أنفـسنا وغيرنـا ونعتبرها ضوابط لسلوكنا وقيوداً على أحكامنا وتفكيرنا. علاقة المسلمين مع تراثهم تختلف عن علاقة الأمـم المـتمدنة مع تراثها، فهو ليس مجرد معرفة أو مصدر للمعرفة، يتعامل معه كما يتعامل مع مصادر المعارف الأخرى، إنه كائن حي يعيش فينا ونعيش فيه، رغم إن معظمه قد مات

بشخوصه ورموزه وأسئلته والأجوبة التي يقدمها. لقد أصبحنا بسبب هذه العلاقة المعقّدة مع التراث مثل حراس المتاحف أو المقابر الذين يعتمدون في معيشتهم على مرافقة الأموات أو ما تركه الأموات من متاع.

ضمن هذا الفهم فإننا نفرّق بوضوح بين الدين والتراث، كما لا ندعو لإلغاء التراث، بل ندعو بصورة محددة إلى وضعه في مكانه الصحيح، وقد سئل الإمام علي بن أبي طالب (عليه السلام) يوماً أن يصف العاقل فقال إنه من يضع الشيء في موضعه. لا شك إننا نحتاج إلى بعض التراث كي يعيننا على فهم ديننا وكي يساعدنا في إعطاء معنى لبعض جوانب حياتنا، لكننا لا نحتاجه أبداً كقيد على عقولنا، ولا نحتاجه كحبل يشدنا إلى الماضي السحيق، ويعطلنا كلما أردنا اللحاق بقطار الحياة في عصرنا. التراث الجيد هو التراث الذي نسخّره وليس الذي يسخّرنا، التراث الجيد هو المعلم الذي يساعدنا على تجاوزه وليس الذي يبقينا أسرى لحدوده.

أحسب إن إشكالية العلاقة بين النهضة والدين والثقافة والانفتاح قد اتضحت الآن. الذين تحدثوا حول مسألة النهضة ناقشوا أولاً مشكلة الدين. الغربيون ومن سايرهم افترض أن النهضة مشروطة بالتخلي عن الدين، والإسلاميون افترضوا أن الدين هو طريق النهضة الوحيد. وفي اعتقادي أن الربط بين الدين والنهضة فيه تكلّف غير مستساغ. إذ ليس ثمة رابط موضوعي بين الاثنين. بكلمة أخرى فإن شرط الارتباط قيد زائد لا ضرورة له، فمن المؤكد إنه يمكن لأمة من الأمم أن

تـصل إلى الحضارة بدون الدين كما حصل في أزمان سابقة وفي زماننا. ويمكن لأمة أن تحافظ على دينها سواء تحضرت أو لم تتحـضر. المشكلة الحقيقية في ظني هي قابلية نمط معين من الفهـم الـديني لإعاقة النهوض الحضاري. إن السؤال الحرج حـول العلاقة بين الدين والنهضة، هو في جوهره سؤال عن الحقيقة التي أمامنا وليس عن الفروض النظرية والميتافيزيقية. إنه سؤال عن هذا النموذج الديني الذي نعرفه ونمارسه، وعن هذا الـنموذج من النهضة الذي نراه أمامنا فندعو إليه أو ننتقده. نحـن إذن لا نتحدث عن الدين في صيغته الأصلية، ولا الدين الذي نتخيله، بل عن صيغته الموجودة بين أيدينا، أو ما وصفه روسو يوماً بالدين المدني.

يمكنـنا إثبات أن نمط التديّن السائد في العالم الإسلامي الـيوم معـيق للنهضة. لكن هذا التديّن منتسب إلى العادات والتقالـيد والتجـربة التاريخـية بدرجة أكبر من انتسابه إلى الوحي، إنه أقرب إلى ما نصفه بثقافة اجتماعية أو تراث. إذن فالأولى أن نقول إن الثقافة السائدة في العالم الإسلامي هي التي تعـيق النهـضة. لكن اختلاطها بالدين يجعلها محمية بقداسته وثقله الروحي الكبير، ولهذا فإن الجزء الأعظم من هذه المرافعة قـد خصص لتسليط الضوء على هذا الاختلاط، والدعوة إلى توضـيح الخطـوط التي تفصل بين الدين والثقافة التي ترتدي عـباءة الدين. إنها دعوة إلى التفكير في الذات وما تحتمله من معرفة ومتبنيات. وفي اعتقادي إن التفكير في الذات هو الخطوة الأولى نحو تحكيم العقل فيها وجعله سيداً يقود حركتها. لكي

نعـــيد صـــياغة شخصيتنا وثقافتنا فإننا بحاجة إلى فهم المكوّن الـــثقافي لهذه الشخصية، وهذا غير ممكن إلا إذا أتحنا لعقولنا فرصـــة النقد والتمحيص لما نحمل وما تنطوي عليه نفوسنا. تجـــادل هـــذه المرافعة بان التراث الذي أخذناه عن أسلافنا، والـــثقافة الـــتي قامت على أساسه يلعبان دوراً معطلاً لتفاعل الإنـــسان مع عصره. التراث الذي يرتدي عباءة الدين يقدّم نفسه كمصدر لكل الإجابات على الأسئلة التي يطرحها عالم اليوم. ومشكلتنا إن معظمنا يصدّق فعلاً أن بالإمكان الحصول على أجوبة صحيحة لأسئلة اليوم في كتب الأموات وسيرهم. وهو يصدق هذا لأنه يظن إن الدين يأمره بذلك، أو هو يعتقد أن الـــدين هو بالتحديد ما يجده في كتب الأموات وسيرهم. خلافـــاً لهذا فان هذه المرافعة تطرح المعاصرة، أي الانتماء إلى العصر والتفاعل معه والبحث عن أجوبة أسئلته فيه باعتبارها أول ضـــرورات النهضة. كما تطرح علاقة مع الغرب قائمة علـــى النظـــر والتعلم والنقد وليس التقليد الأعمى أو تكرار المقولات.

الفصل الأول

الدين والذات

قلت لصاحبـي: قد لا نبالغ إذا قلنا إنه ما من مسلم في هـذا العصر إلا وقد تساءل يوماً إن كان ثمة علاقة بين حال المسلمين الراهن وبين إسلامهم. إني أجد هذا السؤال كامناً في خلفـية الجـدال المـزمن حول العلاقة بين الإسلام والحداثة وبين الإسلام والغرب، وهو كامن أيضاً في خلفية في المطالبات الـتي لم تـتوقف بتحكيم الإسلام في شؤون الحياة المختلفة للمسلمين.

قـال لي صاحبـي: لقد أثير هذا السؤال منذ ما يزيد عن قرن من الزمان وما يزال دائراً كما لو أنه طرح البارحة. وكان السبب في إثارته يومذاك هو اكتشاف المسلمين للفارق الهائل في مجـال العلوم والمدنية بينهم وبين الغرب. لقد بدأ اتصال الغرب بالعـالم الإسلامي في مرحلة شهدت ذروة الانفصال بين الدين والحـياة وحلـول العلم محل الدين كمنهج لهداية الحياة وقيادة المجـتمع. يومذاك كان الاعتقاد السائد بين الغربيين أن التخلص من الدين هو خطوة لا بد منها لإطلاق قوى التقدم التي أثمرت عن إقامة المدنية الغربية الحاضرة. والحقيقة أن هذا الاعتقاد لازال سائداً حتى اليوم، فالأغلبية الساحقة من منظّري التنمية الغربيين

يـرون أن العلمنة، أو اختصار دور الدين إلى الشأن الشخصي، هو ضرورة من ضرورات الحداثة.

قلـت لصاحبـي: لعل وجود العامل الخارجي قد أضاف سـبباً آخر إلى ما نراه من عسر في مناقشة السؤال. إن كثيراً من قومـنا يتجنبون المناقشة الجادة، خشية أن تفضي إلى تعزيز مقالة الغربيين عن تخلّف الإسلام. لكن مهما كان الحال فإننا بحاجة إلى مناقـشة الأمر، المناقشة العلمية هي السبيل الوحيد للاقتراب من الحقـيقة، وهي الوسيلة الوحيدة لاكتشاف دواء لعلتنا الكبرى، أعـني الـتخلف عن قطار المدنية الذي انضمت إليه أكثر أمم الأرض وبقيـنا وحـدنا مـن دونهم، لا راضين بما نحن فيه ولا عازمين على الخلاص منه. مسلم اليوم يا صاحبـي أعجز الناس عـن مواجهة تحديات عصره، فهو إما مستسلم لما يمليه الأقربون والأباعد، أو منكفئ على نفسه غارق في أحلام الماضي المجيد، أو مغترب في العالمين معا، يعيش نصفه في عصره والنصف الآخر في الماضـي السحيق. فهل نرضى بالبقاء في هذه الحال لمجرد الخوف من أن مناقشته ونقده سيقوي مقالة الغربيين أو غيرهم؟ يجب أن لا نخـشى من البوح بما في أنفسنا من أسئلة مهما بدت موجعة، ويجب أن لا نتردد في طرح السؤال الحرج: هل الإسلام مسؤول عن تخلفنا أم لا.. وإذا لم يكن مسؤولاً.. فمن هو المسؤول إذن؟

قال لي صاحبـي: في أواخر القرن التاسع عشر، وجد الذين تداولـوا هـذه المسألة أن لا سبيل للخروج من المحنة إلا بتجديد الـدين. وقد استعانوا يومها برواية تنسب إلى الرسول صلى الله علـيه وآله وسلم فحواها إن الله يهيء لدينه من يجدده على رأس

كل قرن من تاريخه[1]. وهي مسألة سبق أن جادل فيها كثير من الفقهـــاء والرواة والمفكرين في مختلف عصور الإسلام، تجادلوا في معـــنى التجديد وتعيين المجدد وزمنه وغير ذلك. لكني أحسب إن معظم ذاك النقاش قد انصرف إلى الجانب الشكلي من الموضوع، وتـــرك جوهره. فموضوع التجديد وعلاقته بالزمن لم تطرق إلا لمامـــاً وبـــصورة سطحية إلى حد كبير، بينما تركّز الجدل حول الأشـــخاص الذين يدعى انطباق صفة المجدد عليهم والعمل الذي أوجـــب لهـــم هذا الاعتبار، فكان المسالة هناك هي البحث عمن يـــستحق شـــرف القـــيام بهذا الدور، لا فعل التجديد نفسه أو موضوعه أو مقدار ما حققه من نجاح. وهذي لعمري من العيوب المـــشهودة في ثقافتـــنا، أعـــني: الانصراف عن الموضوعات إلى الأشـــخاص، بل الميل الشديد إلى شخصنة الموضوعات وإخراجها عـــن إطارها الواقعي عن طريق إلغاء صفتها العامة والتركيز على نـــسبتها لفرد أو عدد محدود من الأفراد. على أي حال فإن هزيمة المـــسلمين في مـــواجهة التمدد الغربي في تلك الحقبة، أعني أواخر القرن التاسع عشر قد حمل عدداً من المفكرين وعلماء الدين على طـــرح مسألة التجديد كحل. وكانت دعواهم يومئذ إن ضعف المـــسلمين أمام غيرهم مرجعه الوهن الذي أصاب الدين لكثرة ما احتمل خلال تاريخه الطويل من أفكار وأعراف أصبحت بالتدريج لـــصقاً به وجزءاً من مفهومه حتى لا يكاد الناس يعرفونه إلا بها. وقد رأى أولئك الدعاة في هذه الأعراف سبباً لوهن الدين وتراجع

---

(1) نص الحديث: {إن الله يبعث لهذه الأمة على رأس كل مئة سنة، من يجدد لها دينها} رواه أبو داود. السنن، رقم 3740.

قــوته على إنهاض المسلمين، لكونها انعكاساً لواقع متخلف بذاته. فكــأن جوهــر دعوتهم تلك هو تخليص الدين من هذه الأثقال وإعادته إلى نقائه وصفائه كما كان في عصوره الأولى.

قلــت لــصاحبــي: الإســلام لم يخرج يوماً من نفوس المــسلمين، لكنه مع ذلك فقد وظيفته الاجتماعية، وأصبح شأناً فــردياً، يعبّــر عن نفسه بصورة محددة في العبادة والأخلاقيات الشخصية، وهذا هو الحد الأدنى الذي ينبغي للإسلام أن يمارس وجوده فيه. لكن هذا الحد لا ينفع كثيراً في تطوير المدنية، أو في اســتثمار فاعلية الإسلام كمنهج تغيير وسبيل تقدم، إنه في هذه الــصورة، لا يختلف عن أنواع الإيمان الأخرى، النابعة من تأمل ذاتي أو إرث ديــني. وهــذا هــو التحليل الذي وصل إليه منذ الستينات، المرحوم مالك بن نبي، المفكر الجزائري المعروف[1]. في هذه النقطة يكمن - كما أظن - أحد العوامل المهمة في التمييز بــين مــناهج التجديد المختلفة. نعلم أن بعض دعوات التجديد ركــزت على إصلاح العقيدة أو ركزت على إصلاح العبادات بدعوى إنها جوهر التديّن، ودخلت لأجل ذلك في صراعات مع الطوائــف المخــتلفة من المسلمين، حول ممارساتهم العبادية أو اعتقاداتهم أو طريقة تعبيرهم عن انتمائهم الديني. التجديد في هذه الجــوانب - حتى لو قبلنا بالحاجة إليه - لا يغيّر شيئاً في الجانب الحرج من حال المسلمين اليوم، أعني تخلفهم في الاقتصاد والعلم والسياسة وغير ذلك من جوانب الحياة الحديثة.

---

(1) مالك بن نبي: ميلاد مجتمع، (دمشق 1986)، ترجمة عبد الصبور شاهين، دار الفكر ص. 104.

قال لي صاحبي: الذين يصارعون على إصلاح العقيدة أو العبادة يرونها جوهر موضوع التجديد. وهم يتمسكون بمقولة تنسب للإمام مالك بن أنس يقول فيها "لن يصلح آخر هذه الأمة إلا بما صلح به أولها، وما لم يكن يومها ديناً لا يكون اليوم ديناً" وهم يربطون بين نهضة المسلمين في عصورهم الأولى وبين التزامهم بصورة خاصة من الاعتقاد والعبادة، ويرون بناء على هذا إن عودة المسلمين المعاصرين إلى طريق القوة مرهونة بعودتهم إلى تلك الصورة التي في أذهانهم عن عقيدة قدامى أهل الإسلام وعبادتهم. بكلمة أخرى فهم يرون إن ما صلح به أول أمر المسلمين هو صفاء عقيدتهم وحسن عبادتهم لربهم.

قلت لصاحبي: ذلك مثال على ما يسمونه بالمصادرة على المطلوب، أي إدراج الفكرة السليمة في إطار غير إطارها، لاستثمارها في تثبيت رأي خاص قد يكون مخالفاً لها في الأصل أو بعيداً عنها. لقد افترض هؤلاء أن قوة الإسلام في عصره الأول تكمن في اتخاذه لهذه الصورة المحددة في العبادة أو الاعتقاد. وهم يهملون تماماً دور الإسلام كمنهج تغيير للحياة، وهذا يرتبط في المقام الأول بفاعليته النفسية والثقافية والاجتماعية. لقد تقدّم المسلمون الأوائل لأنهم تحرروا نفسياً وثقافياً من الخرافة والأسطورة، وتحرروا من الشعور بالصغار الذي حصر معرفتهم وطموحهم وتطلعاتهم في صحراء محدودة. كان الإسلام قوة تحرير للذات، وقوة إصلاح للنظام الاجتماعي، وقوة تطوير للعلم والابتكار. ولم يكن مجرد نوع آخر من الاعتقادات أو طريقة معينة في العبادات. ولهذا نقول بأن الإسلام الذي فقدناه هو

الإسلام الحضاري، الإسلام الذي يحي روح الإنسان ويثير عقله، ويعيد تشكيل القيم الناظمة لحياة الجماعة كما يعيد جدولة أهدافها وهمومها، بحيث يصبح التمدن أول أولوياتها. ألا ترى إن ذروة ما نفخر به من تاريخنا هو تلك المظاهر الدالة على القوة والمدنية والعلم. فهذا دليل على ما نفتقر إليه اليوم. وإذا كان ثمة أهمية لتجديد الإسلام، فيجب أن يتجه هذا التجديد إلى هذا الهدف بالذات، أعني: استعادة دور الإسلام كقوة تحفيز للمسلمين نحو المدنية في شتى جوانبها.

ما لحق بالإسلام من مفاهيم وتقاليد خلال التاريخ

قال لي صاحبي: لعل ما تقول دليل على أن العودة إلى الأصول الصافية للدين هي السبيل لتنظيف الثقافة الإسلامية مما لحق بها من شوائب خلال القرون السالفة حتى يومنا هذا، وهي مهمة يسيرة طالما أن المصدر الأول (القرآن الكريم) موجود محفوظ، وهو حكم فصل لا يختلف عليه اثنان.

قلت لصاحبي: القول بأن السبيل هو العودة إلى ما وصفته بالأصول الصافية لا يصح على إطلاقه. كما أن ادعاء القدرة عليه أهون من تحقيقه. إن الفصل بين الأصول والحواشي، مهمة سهلة مادام الأمر لا يتجاوز الورق أو مجالس الكلام، لكن تحقيقها على أرض الواقع يحتاج إلى مقدمات بعضها في غاية العسر، المسألة هنا أشبه بأن تدعو رجلاً من الناس إلى مسح ذاكرته.

خلال هذه السنين الطويلة جرت تحولات وتطورات،

وتواتـــرت أجيال، يزيد كل منها شيئاً على ما أضافه السابقون. هـــذه الإضافات التي نعتبرها الآن حواشي على الأصل، ليست مجـــرد أفكار قابلة للتمييز والعزل، وليست مجرد إطارات للحياة والعمل، إنها ثقافة كاملة تأسست في ثناياها أمة جديدة. الثقافة ليست ما يقرأه الناس في الكتب. الثقافة في معناها العميق هي ما يمـــلأ داخـــل النفس من تصورات حول الذات والغير من البشر والأشياء، أي رؤية الإنسان إلى العالم المحيط به وتقديره لموقعه من هـــذا العالم. وهي بهذا الاتساع لا تغطي جانباً محدداً من الحياة، بل تتحكم في كل جانب للإنسان علاقة به. إنك تستطيع اليوم تمييز المسلم من غيره من النظرة الأولى، من طريقته في الكلام، من أسلوب تعامله مع الآخرين وسلوكه العفوي في حياته اليومية.

لقد تشكلت ثقافة كاملة خلال السنين الطويلة التي تفصلنا عـــن عهد الإسلام الأول. هذه الثقافة هي التي توجّه سلوكنا، وهـــي الـــتي تحدد طريقة ونطاق تفكيرنا، وهي التي تتحكم في صـــياغة مواقفنا وآرائنا، نحن اليوم نفهم القرآن من خلال هذه الثقافة، نفهمه بالعقول التي تشكلت في إطارها وبالاعتماد على مدخلاتها.

هـــذه الـــثقافة هـــي أيديولوجيا كاملة، وهي - مثل كل الأيديولوجـــيات - محملة بوسائل للدفاع عن ذاتها، وميالة إلى تعمـــيم نفسها، وادعاء الكمال في مواجهة أي نقد. قد تستطيع اتخاذ قرار بممارسة النقد الذاتي، لكن من أين ستأتي بالمنهج؟ إذا أتـــيت به من داخل هذه الثقافة فلن تصل لغير الحال الذي أنت عليه. ممارسة النقد قد تتحول إلى نوع من الدوران حول الذات

الـــذي يـــضيف مبررات جديدة لتجميل واقع الحال، دون أن يكـــشف عـــن الحقائـــق المختفية وراء الركام، عقلية "ليس في الإمكان أبدع مما كان" التي نمارس تجسيداتها في حياتنا، لم تأت من العدم، فهي صورة عن نتائج دورة من التفكير داخل الحلقة المغلقة.

قـــال لي صاحبـــي: المؤكد أن الثقافة التي يحملها مسلمو الـــيوم ليـــست إسلامية بمعنى التماهي مع الأصول الدينية، إنها إسلامية بمعنى الانتماء إلى الجماعة المسلمة التي أبدعتها أو تبنتها. قـــد يكون فيها شيء من الأصول، وقد يقتصر الأمر على بعض من ظلالها، لكنها بالنسبة للناس إسلامية تماماً، وهم لا يفكرون كثيراً في هذا التمييز، فالناس لا تعبأ بما يقوله المنصرفون إلى عالم الأفكـــار. ولأن الأمـــر لا يعني العامة، فلسنا مضطرين إلى بذل جهد خارق لإقناعهم بالتصحيح، بخلاف أهل العلم الذين يقدر أحدهم على التمييز بين ما هو تفريع مباشر على الأصل، وما هو زَبَد احتمله تيار الحياة وهو يندفع في الطريق.

قلـــت لصاحبـــي: التمييز بين العامة وأهل العلم ممكن قبل أن تبدأ العمل، فإذا شرعت بالعمل فلن تجد محلاً لهذا التمييز، بل قد يكون الأمر على نقيض ما تتمناه، ما تراه من تخلف في الثقافة ليس مقتصراً على العامة. ولو كان أهل العلم قادرين على تجاوز هـــذا المـــأزق، لفعلوا منذ زمن طويل، فهم وأنا وأنت جزء من المشكلة، هم وأنا وإياك مستفيدون من الحال الراهن، لأن حياتنا بنـــيت في إطـــاره، ومصالحنا تشكلت بالاعتماد على عناصره وأجـــزائه، فـــإذا بدأ التغيير فسوف يطالني كما يطالك، وليس

مـؤكداً أن حالي وحالك سيكون أفضل مما هو عليه الآن. إنني مـستفيد مما أنا فيه، العلم الذي أحمله يوفر لي عيشاً هنياً ومكانة لا تـشترى بمـال، هـذا لأن الـناس يعتـبرونه شيئاً يستحق الاحتـرام، فإذا ذهب اعتباره وتلاشت قيمته، فلن تكون الحال هي الحال.

حقيقة الأمر أن المثقفين والعامة متواطئون على مواصلة هذا الطـريق، بعـضهم لأنه يصعد في مسارات الحياة فهو صاحب مـصلحة في بقاء الحال السائد، وبعضهم لأنه لا يحتمل الأعباء النفـسية والاجتماعـية للتغـيير، فهو الآخر صاحب مصلحة في الحـيلولة دون تغـيير يؤدي إلى المشاكل أو يوقعه في مواقع الأذى.

قال صاحبـي وكأنه يفكر بصوت عال: هكذا إذن فسّر الماء - بعـد الجهد - بالماء، فنحن لا نريد العثور على الحقيقة، لأننا أصحاب مصلحة في إخفائها. وما نملكه من أدوات نقد عاجزة عـن إيـصالنا إلى مـا نريد. ومن نريد العمل لهم، يشبهوننا، فهـم مثلـنا بـين عاجز ومعرض. لقد عدنا إلى نقطة قبل التي بدأنا بها.

قلـت لصاحبـي: مشكلتنا على أي حال ليست في تحديد الجهة التي نوجّه إليها الخطاب، بل في الخطاب نفسه. إن الوعاء الاجتماعي للدين قد لا يكون شديد الأهمية إلا بمقدار ما يؤدي إليه من أثر في نفس حامليه. وعلينا أن نقبل بحقيقة أن الدين في معناه المجرد غير موجود في واقع الحياة. نحن لا نتحدث في حقيقة الأمر عن الدين كما نـزل في الأصل من عند رب السماء، بل

نتحدث عنه منسوباً إلى أشخاص محددين أو جماعة محددة، أي عن فهم أولئك الأشخاص وهذه الجماعة له وتعاملهم معه وما يتبعونه من أساليب في تطبيقه. الدين الذي تطبّقه أي جماعة هو دين ملوّن بلونها الثقافي الخاص، أي بنتاج تجربتها التاريخية ونمط حياتها ومصادر عيشها ورؤيتها لذاتها والعالم. قد نسمي هذه الإضافات تقاليد أو أعرافاً، وقد نسميها في الإجمال ثقافة، لكنها على أي حال الطريقة التي تفهم بها الجماعة نفسها والهوية التي تجمع أعضاءها إلى بعضهم وتميّزهم عن سائر خلق الله. ومن هذه الزاوية تجد أن المسلمين في مختلف بلدانهم يختلفون في فهم تعاليم الدين وأحكامه بحسب ما هم عليه من ثقافة وخبرة تاريخية. ألا ترى أن بعض المسلمين في أفغانستان كانوا يحرّمون العمل مطلقاً على النساء خارج بيوتهن استناداً إلى الآية المباركة ﴿وَقَرْنَ فِي بُيُوتِكُنَّ﴾، (الأحزاب 33) بينما يقبل جيرانهم في إيران بأن تكون المرأة قاضية ووزيرة ونائبة لرئيس الدولة، استناداً إلى الآية المباركة ﴿وَٱلْمُؤْمِنُونَ وَٱلْمُؤْمِنَٰتُ بَعْضُهُمْ أَوْلِيَآءُ بَعْضٍۢ﴾، (التوبة 71) فالذي جعل أولئك مختلفين في العمل عن هؤلاء، ليس الإسلام في صيغته النظرية المجردة، بل الفهم الحاصل من تفاعل المسبقات الثقافية التي يحملها كل منهم مع الصيغة النظرية للإسلام. وبالتالي فإن ما يستند إليه كل منهم ليس النص المجرد في الحقيقة، بل فهمهم الخاص للنص. وهذا ما لمح إليه الأستاذ فهمي هويدي في التقارير التي سجلها عن رحلته إلى أفغانستان في ظل حركة طالبان، حين قال إن قادة الحكومة الأفغانية ينحدرون جميعاً من بيئة ريفية، وإن معظمهم لم يغادر قريته إلى أي مكان، ولم يزر أي دولة خارج أفغانستان، بل إن بعضهم لم يزر أي مدينة في أفغانستان

ذاتها، ولم يعرفوا غير عالم القرية الصغيرة ونظام حياتها، وانعكس هذا على طريقتهم في تطبيق الإسلام حين نجحوا في احتلال العاصمة كابل، فكأنما أرادوا تطبيق النموذج المستقر في أذهانهم أي نموذج القرية النائية المعزولة عن العالم، وهو نموذج له علاقة وثيقة بالدين ورموزه، لكنه يبقى في نهاية المطاف نموذج قرية في ريف معزول[1].

الذي في النفوس إذن هو إسلام خاص، جرى تكييفه تحت مؤثرات مختلفة، لكن الإنسان لا يستطيع اكتشاف الفارق بين الصورة والأصل، لأنه - أولاً - يخشى من اتهام ذاته بتشويه الأصل، ولأنه - ثانياً - يخشى من اتهامها بالقصور في استيعابه، ولأنه - أساساً - لا يستطيع رؤية ما في داخله مجرداً عن الإضافات التي لحقته لحظة انتقل من الخارج إلى الداخل، ومن التجريد إلى الانتساب، لأنه ينظر إلى ما في داخله، والذي داخله ليس الأصل بل الصورة، فهو لا يرى اثنين كي يقارن بينهما، بل الصورة وحدها متمددة على الطاولة من أدناها إلى أقصاها، فحيثما توجهت عيونه امتلأت بها أو ببعضها.

كيف تتحول الرغبات إلى مسلّمات مقيّدة للعقل

قال لي صاحبي: ربما نتفق على أن كل جزء من أجزاء المعرفة الدينية يحتاج إلى إعادة نظر. لكني أتساءل عن المئات من الناس، لا سيما أهل العلم الذين يتعاملون مع هذه المعرفة: ألم يلتفتوا إلى ضرورة تمحيصها وإصلاحها؟ ألم تستثر أذهانهم مظاهر

---

(1) فهمي هويدي: "في مملكة طالبان" الشرق الأوسط (13 ديسمبر 1998).

الــوهن والقصور في حياتنا؟ ألم يخطر في بالهم - ولو على سبيل الاحــتمال - أن هذا الوهن هو نتاج انفصال معرفتنا الدينية عن عــصرنا؟ بكلمة أخرى: لماذا غفل معظم الناس عن الحاجة إلى إصلاح ثقافتهم وبالتالي تجديد حياقم بما فيها الجانب الديني؟

قلــت لصاحبــي: إن إصلاح الذات ليس بالأمر اليسير، وذلك يرجع في الأساس إلى عجز الإنسان - في الأعم الأغلب - عــن تقيــيم نفسه. نحن نفترض أن عقل الإنسان قادر على اكتشاف الحقيقة، بما فيها حقيقة نفسه، لكن هذه الفرضية نادراً ما تصدق. قد تجد واحداً بين عشرات الآلاف من الناس قادراً علــى الفصل بين عقله وذاته، أي قادراً على رؤية دواخل ذاته مــن دون أن تتحكم هذه الذات في عمل العقل. لكن الأغلبية الساحقة من البشر لا يطيقون هذا الفصل العسير، ولهذا تجدهم - في الغالب - راضين عن ذاقم، واثقين بأنهم يفعلون الصحيح من الأمور. ولسوء الحظ فان هذه الثقة الكاذبة هي الجدار الذي يحــول بين العقل وبين التأمل في ذات صاحبه. ولعلي لا أبالغ حــين أقول إن معظم الناس لا يفكرون بالمعنى الدقيق للتفكير، أي الــتأمل في كل أمر وتقليبه على وجوهه المختلفة وتفكيك أجــزائه قــبل تكوين رأي إجمالي فيه. ما نظنه تفكيراً هو - بالنسبة لمعظم الناس - مجرد انطباعات أولية يحتملوها دون جهد ذهني يذكر. وما نسميه ثقافة سائدة، ما يخطر في أذهاننا، وما نسمعه من الناس أو نقرأه في الجرائد، يحتاج إلى تقليب، فأكثر مــا يخدع العين هي الأشياء التي تحسبها ثوابت أو مسلمات، وهــي ليــست كذلك إلا لأن العقل أرادها في هذه الصورة.

الأشـــياء التي نتصورها معقولات هي - في غالب الأحوال - أوهـــام، أو لنقل على سبيل التحفظ إنها تصورات عن الحقيقة، لكنها ليست حقيقة بذاتها. وليس هذا من الغرائب التي تدرجها المجلات في باب التسلية، تحت عناوين مثل "صدّق أو لا تصدّق" فجميع الناس ينظرون في وهج الظهيرة، فيرون الضوء منعكساً على وجه الأرض، فيخالونه ماء، حتى إذا اقتربوا، وجدوه مجرد سراب في بقيع تصفر فيه الريح، إنه وهم الماء، رغم أن العيون اعتبرته ماء في النظرة الأولى.

كـــثيراً مـــا تسمع زيداً يقول بأنه يفكر، لكن ما نسميه بالـــتفكير ليس حقيقياً عند أكثر الناس، فتصوّرهم عن الأشياء ورأيهـــم فيها، هو نتاج النظرة الأولى، وليس التأمل في الشيء المنظور، أو التفكير فيه. لهذا تجد الناس يسارعون في تقرير الآراء والـــرد على الأسئلة وتبني المواقف، دون أن ينتظروا دقيقة أو بعـــض دقيقة، ريثما ينتهي العقل من مهمته في تفكيك المسألة وتحلـــيل عناصرها، ومقارنتها بغيرها، قبل إعلان حكمه فيها. وممـــا يزيد الأمر سوءً أن العقل بطبعه مبرمج لكي يقدم ردوداً فـــورية، مـــع أنه قادر على تقديم ردود مختلفة، لو أتيحت له الفرصة لكي يعمل ويقارن وينظر في العواقب، ولم يطلب منه صاحبه رداً سريعاً.

مـــثل كـــل عناصر الثقافة الأخرى، فإن الإسلام الذي في النفوس غير قابل للنقد، لأن العقل لا يرى فيه عيباً، بل قد يكون من بعض وظائفه تسويغ هذه الصورة التي يريدها الإنسان لذاته. ولهـــذا فإن الإنسان ينظر إلى الدين الذي في نفسه كدين كامل

ومبرأ من العيب، لأنه يعكس - بشكل غير مباشر - صورة الذات كما يريد صاحبها أن تكون. ولأن الأمر على هذه الشاكلة، فإن الإنسان لا يفكر في الإسلام الذي تشتمل عليه جوانحه تفكيراً حقيقياً، أي تفكيكاً للأجزاء وتحليلاً، وبحثاً عن الخيط الذي يشدّ كلاً منها بالآخر. وهكذا يبقى الدين في غالب الأحيان خارج نطاق التفكير. أما ما يدعى أحيانا من تفكير في الدين فهو مجرد استئناس بالنظر إليه، يحيل الإنسان إلى مزيد من الاعتزاز بنفسه والفخر بما فيها.

قال صاحبي وكأنه يفكر بصوت عال: السؤال الحقيقي إذن هو عن هذا الذي في النفوس وكيف نفكر فيه. ثم أجاب نفسه.. إننا لا نفكر فيه، ندور حوله.. نبحث فيه عن تبريرات لأنفسنا، أو لما نظنه صحيحاً من أفكارنا وأعمالنا، لكننا لا نفكر فيه، ولهذا فأننا لا نكتشفه.. نحن ندور وندور ثم نصل إلى ما كنا نحب الوصول إليه..

نحن أدرى وقد سألنا بنجد أقصير طريقنا أم طويل

وكثير من السؤال اشتياق وكثير من رده تعليل

المسألة إذن ليست من نوع التفكير، بل من نوع البحث عن مبررات تسند حالة قائمة، نريد - لسبب ما - بقاءها ونخشى أن تهتز، لهذا فأننا نأخذ من هذا الذي في أنفسنا بقدر ما (يوفر من مبررات لما نحن فيه وما نرغب في بقائه)[1].

---

(1) محمد تقي مصباح: العودة إلى الذات، (طهران 1991)، ترجمة محمد علي التسخيري، منظمة الإعلام الإسلامي، ص. 116.

إذن فأنت لا تنظر إلى الإسلام - قلت لصاحبي - أنت تنظر إلى نفسك فتراها وقد ارتدت عباءة الدين، قد تصطاد عيونك عيباً هنا أو هناك، فتسرع إلى الإسلام تستعير منه فرشاة لتلوين الجزء المعيب في الصورة، فالعين تكره أن ترى صورة معيبة. لكنك في نهاية المطاف لا ترى دينك مجرّداً ولا ترى نفسك مجردة، بل خليطاً من الاثنين تختلف حصة كل منهما فيه بحسب تأثيره في يومياتك وتفاصيل حياتك. وهذا بدوره يرجع إلى معرفة الإنسان بدينه، ولا سيما تلك القيم القابلة للتشابك والتفاعل مع الحياة اليومية، كما يرجع إلى قدرته على ابتكار نقاط اتصال وتفاعل بين مقتضيات دينه من جهة وشؤون حياته من جهة أخرى، فكلما اتسعت معرفته بهذه الجوانب ازدادت مساحة الاندماج بين الذات والدين، أي - بكلمة أخرى - ازداد تأثير الدين في حياة صاحبه. وعلى العكس من ذلك فإن قلة المعرفة مآلها هيمنة التوجهات الذاتية وتلبسها بعباءة الدين، أي انحسار الدور الفعلي للدين في الحياة، حتى لو اصطبغت كل المظاهر الخارجية باللون الديني.

المشكلة إذن ليست في مجرد الانفصال بين مسار الذات ومسار الدين، بل في احتلال أحدهما المساحة الخاصة بالمسار الآخر. الذي في أنفسنا هو ما أردناه أن يكون. لقد انتخبنا منه ما يناسبنا، ما ينسجم مع التقاليد والأعراف والتوازنات التي نريد العيش في ظلها، وصنعنا من هذا الخليط صورة هي أقرب ما تكون إلى صورتنا. ثم أحطناها بهالة من الافتراضات والاعتبارات حتى تحولت إلى صندوق مغلق يحوي بعض الحقيقة وبعض الوهم وكثيراً

مـن الـرغبة. إنه أشبه بكنـز في كهف أسطوري يحميه حراس سحريون لا يجرؤ الإنسان على فتحه، أو لعله لا يرغب في رؤيته مـن الداخل. حسبه الاطمئنان إلى ما يتوهمه كنـزاً بين أملاكه عصياً على الاختراق أو التفكيك، تلك هي حقيقة النفس المتدينة في عالمـنا الذي نعيش. ربما حاول العقل المتمرد الدخول إلى هذا الكهف الأسطوري في بعض الأحيان، من باب الفضول ربما، أو مـن باب الرغبة في اكتشاف الجوهري من الأشياء. لكن هيولى الـصور والاعتبارات تعمل هنا مثل طبقة الأوزون، التي تدفع كل متـسلل غير مرغوب فيه إلى خارج المدار، إنه صندوق أسرار، لا يباح فتحه، ولا يباح تفتيش محتوياته. حسب الإنسان أن ينظر إليه مـن بعيد، للتبرك حيناً وللاستئناس حيناً، فالنفس القلقة تحتاج لما يعيد إليها اطمئنانها، عندما يثور فيها الشك أو يعتلجها قلق الهزيمة.

خلاصة القول إني لا أجد عقل الإنسان قادراً على نقد ذاته. حين يفكر الإنسان في ذاته فإنه في الحقيقة يدور حولها مثل فراشة تدور حول شعلة نور، فهي من فرط انشغالها بهالة الضياء عاجزة عن رؤية الشعلة التي هي مصدر النور، فالهالة هنا حجاب بينها وبين الحقيقة، كذلك الثقافة التي يحملها الإنسان هي حجاب بين عقله وحقيقة ذاته. لو قلت إن هذه الذات متخلفة فعقل صاحبها عاجـز عن رؤية التخلف ولو قلت إنها متقدمة فالعقل غير قادر علـى التمييز بينها وبين الغير. ألا ترى أن العين تعجز عن رؤية ذاتها بينما هي ترى كل شيء في الخارج؟ أحسب أن ما نسميه بالنفس المتقدمة أو المتخلفة هي ذات العقل، وأحسب أن العقل غير قادر على رؤية ذاته.

عقل الفرد وعقل الجماعة

قال لي صاحبي: أراك ذهبت بها عريضة. من العسير فيما يبدو لي قبول هذا التعميم من دون تحفظ. لو لم يكن عقل الإنسان قادراً على نقد ذاته، لما كان قادراً على التطور أصلاً. والمشهود أن الناس يغيّرون من أفكارهم وسلوكياتهم، ويتحررون من قيود ماضيهم وعلائقهم، ويتخلون عن أفكار آمنوا بها طيلة حياتهم ويتخذون أخرى كانت قبل ذلك مستحيلة عندهم. فهذا كله دليل على أن عقل الإنسان قادر على التحرر من ذلك الصندوق السحري الذي أشرت إليه. وأزيد على ذلك إن جوهر فكرة الإصلاح في الدين يكمن في تحرر الذات من الجبت ومن الطاغوت، أي من القيود التي تمنع الإنسان من رؤية ما وراء المشهود والمرئي.

قلت لصاحبي: لعلي قد بالغت في التعميم، وأخشى أن أكون قد انضممت من حيث لا أدري إلى شلة المخذلين والمثبطين الذين يصدون الناس عن سبيل الله بالتعسير عليهم وتثبيط مساعيهم. ولهذا فقد يكون من المفيد الإشارة إلى أني لم أعن بما قلت سابقاً إن الفرد عاجز مطلقاً عن تغيير ذاته والتحرر من الزاماتها. وإنما أردت الإشارة إلى الحالة العامة التي يبتلى بها أغلب الناس، وهي بالمناسبة حالة ظرفية مؤقتة بالنسبة للفرد وبالنسبة للجماعة. لكن المشكلة تكمن في أن هذا الظرف المؤقت قد يتمدد زمناً طويلاً.

قال صاحبي: أظن أن عقل الفرد الذي نتحدث عنه ليس إلا صورة عن عقل الجماعة التي يعيش وسطها. نعلم من

الدراسات الاجتماعية ومن التجربة الواقعية أن عقل الإنسان لا يعمل في فراغ، ولا يعمل من دون مقدمات وفرضيات مسبقة، فهو يستقبل الأشياء بعد أن تمر في مصفاة خاصة، هي منظومة تصورات الجماعة عن المحيط، فإذا فكّر، فإنه يعتمد على المسلمات السائدة في الجماعة، كمسطرة قياس ومرجع مقارنة. لهذا فإن الناتج النهائي لهذا العقل، لا بد أن يأتي منسجماً مع ما هو سائد ومتفق عليه في هذه الجماعة. إن عقل الفرد - حين يفكر وينظر - ليس عقلاً فردياً بل هو عقل الجماعة الذي اتخذ له موضعاً في رأس فرد معيّن، فجعل شخصيته وسلوكه العفوي وردود فعله، نموذجاً لما يناظرها عند كل فرد آخر في نفس الجماعة[1].

والمشكلة إن ثقافة الجماعة ليست في الغالب منظورات عقلانية يمكن حساب أصلها ووظيفتها وفوائدها، بل إن الكثير منها مجرد توهمات، ولعل بعضها كان أفكاراً أو ردود فعل وجدت في زمن لغرض معين وقد أدت وظيفتها في ذلك الظرف وانتهى دورها، لكنها مع ذلك بقيت حية وفعالة رغم زوال مبرراتها وانتفاء الحاجة إليها. نحن نتحدث عن أشياء كثيرة ندرجها تحت عناوين منتخبة مثل العادات والأعراف والتقاليد، ويبالغ بعض المتحذلقين أحياناً، فيضيفون إليها جملاً جذابة، مثل قولهم (التقاليد الخاصة بالمجتمع المسلم) خاصة إذا أرادوا تبرير سكوتهم عن شيء، يخشون التورط في عواقب الحديث عنه، أما الأشخاص الأكثر جرأة - وأحيانا الأكثر قوة - فلا يترددون في

(1) مالك بن نبي: القضايا الكبرى، (دمشق 1991)، دار الفكر، ص. 83.

نسبة هذه الأشياء مباشرة إلى الإسلام، ومن طرائف الأمور ما كتبه أحد الصحفيين الأوروبيين، من أن أكل الأرز واللحم على الطريقة المتعارفة في الخليج والجزيرة هو "تقليد إسلامي". فذكرت هذا لأحد الأصدقاء من أهل العلم، ففاجأني بالقول إنه واثق من أن الأمر كذلك، وأنه يعرف أدلة كثيرة على أن الأكل باليد أفضل من استعمال الملعقة، وإن هذا الطعام بالذات أكثر فائدة للجسم.. إلخ. إنه واثق من ذلك، بقدر ما أنا واثق من أنه لم يقرأ طوال حياته كتاباً عن الصحة العامة فضلاً عن علم الطب، لكنها أقاويل الناس، وما استقرت عليه العادات الجارية، التي تبدأ كنمط من أنماط المعيشة التي تبرر بأسباب اقتصادية أو غيرها، ثم تجد لها من يحيطها بإطار من التنظيرات والافتراضات، تصبح - بعد زمن - مسلمات وثوابت، يمر عليها الناس، دون أن يتساءلوا أبداً عن الطريق الذي سلكته حتى أصبحت مسلمات وموضوعات توافق عابرة للزمان والمكان.

والحق أنه لا يوجد ما هو أسهل من تدبيج الكلام حول الأشياء المتوهمة، فإذا كانت كل جريدة تستطيع تدبير صفحة كاملة أو عدة صفحات كل يوم من الشعر النبطي، وتستطيع تدبير ست صفحات من أنباء الرياضة، ويستطيع أحد التجار الأذكياء تدبير بروفيسور ليخبرنا أن الحبة السوداء تشفي جميع الأمراض، بدء من قشرة الرأس وانتهاء بالايدز، أفلا يستطيع الناس على مدى شهور أو سنوات، تدبير نظرية ما حول الأكل باليد وتفضيل الأرز واللحم، وإلصاقها بالتقاليد الإسلامية؟

إن تحدي المسلمات التي توافق عليها المجتمع ليس مهمة

سهلة على الفرد، وهذا ليس بالأمر الغريب. الغريب هو أن لا يفكر أحد في الأسباب التي حوّلت تلك الأشياء إلى مسلمات لا يخالفها أحد. والأغرب منه أن أحداً لا يتوقف عندها، ليتأمل في عواقب التسليم بها، وجعلها متعالية عن النقد أو حتى مجرد التفكير والتحليل.

قلت لصاحبي إن هذا مثال يشير إلى قدرة المجتمع على فرض مراداته، وتحويلها من تبريرات أولية لحاجاته في زمن معين، إلى قوانين ثابتة لا يمكن تخطّيها بسهولة. ثم إن كثيراً من هذه التبريرات تصبح قيوداً على القيم، بمعنى أنها تفرض صورة خاصة للواقع فتكيّف القيمة بحسب هذا التصوير وتستبعد الصور الأخرى الممكنة. وأظن أن هذا من أسوأ ما ابتليت به منظومة القيم الإسلامية في عصر الجمود والتخلف. نعرف أن القيمة السامية قابلة لتفسيرات شتى، كما أنها قابلة للتفريع حتى تطابق الخيارات المختلفة، ولهذا السبب فهي متعالية على الزمان والمكان. كمثال على هذا، يتفق الناس في كل زمان ومكان على أن العدل حسن والظلم قبيح. وليس متوقعاً أن يأتي عاقل في زمن من الأزمنة، ليزعم أن العكس هو الصحيح، فهذه قيمة ترقى إلى مرتبة الحقيقة الكاملة. لكن ليس من المستغرب أبداً أن تجد مجتمعاً يحيط هذه القيمة بتفسيرات وتصويرات، تحدد مجال تطبيقها، بل قد توجهها إلى عكس مرادها الأصلي، كما يحصل مثلاً حينما يُقرن العدل بالضعف، ويقرن الظلم بالرجولة، فالمجتمع بصورة عامة يمارس القهر ضد الضعفاء فيه كالنساء والأطفال والأجانب، ولا يعتبره من مصاديق الظلم. بل على العكس من

هـــذا، فالناس يعتبرون الرجل المنصف في بيته، العادل بين أهله، ضعيفاً ناقص الرجولة (خاضعاً للحريم). وسمعت مرة أحد رجال الأعمـــال يـــتحدث بفخـــر عن قسوته مع موظفيه، بينما كان الحـــضور يهمهمون بعبارات الإعجاب، مؤكدين أن إنسان هذا الزمان بحاجة إلى أن يكون ذئباً حتى ينجح في عمله فإن كان ليناً متسامحاً أكلته الذئاب. وقال أحدهم مادحاً ذلك التاجر: إن فلانا ذئـــب لا يخشى عليه، فابتسم التاجر منتشياً بهذا الإطراء المتوقع، بينما كنت - لدهشتي - أحسب حتى تلك اللحظة أن الإنسان يخجل من أن يوصف بأنه ذئب.

لـــو ســـألت الناس في ذلك المجلس عن العدل والإنصاف، لوجدتهم محبين له طلاباً للاتصاف به. لكن هذه القيمة تبقى مجرد رغبة، ما تلبث أن تتحور حينما يصبح طالب الإنصاف مطلوباً، فتحاصرها مسلمات أخرى توافق عليها المجتمع، حتى تصرفها عن مـــضمونها الأصـــلي وتحيلها إلى عنوان فارغ، أو تعيد صياغتها بحيث تخدم ما يوافق أضدادها، فيمارس الإنسان الظلم وهو يظن أنـــه عـــادل، ويمـــارس الأثرة والتحكم بغير الحق وهو يرى أنه منصف.

الظلم من شيم النفوس فمن يكـــ ـــــن ذا علة فلعله لا يظلم

هذه القدرة على تبديل القيم والحقائق وتحويرها، تستند إلى مـــا يحـــصل علـــيه الفرد من مساعدة ثقافية، توفرها مسلمات اجتماعـــية، صـــنفت تحت عناوين من نوع العادات والتقاليد والأعراف. من هنا نفهم أن ما تسالم عليه المجتمع وما قرره من

قيم، هي المنظار الذي ينظر الإنسان من خلاله إلى بقية البشر والأشياء، كما أنه وسيلة الفهم التي يفسر الإنسان بواسطتها القيم المجردة، التي لا يستطيع إنكارها أو التنكر لها. بكلمة أخرى فإن القيم النسبية، وأريد هنا وصفها بالقيم المنتمية، هي التي تحدد مفهوم القيم المطلقة أو المجردة وكيفية انتقالها من عالم التجريد إلى عالم التطبيق. تتشكل هذه المسلمات من تفاعل طويل الأمد بين الإنسان ومحيطه الاجتماعي، فهي ليست سجلات لما سمعه الإنسان وما قرأه، بل هي تكثيف ذهني لتجربة الإنسان الحياتية، وهي تعبير آخر عن مكونات الهوية التي تجمعه إلى بقية أفراد مجتمعه، وتميزه وإياهم عن غيرهم من عباد الله. من ناحية أخرى فإن جانباً من هذه المسلمات لا يقوم - بالضرورة - على تأسيس منطقي للنتائج، بل على اطمئنان بالصحة أو بالإمكانية، إذ يستحيل على الإنسان العادي - بل كل إنسان، عادياً أو عالماً - تأطير شخصيته ضمن حدود المنطق، ولو أراد شخص أن يتكلف هذا التأطير الجبري، لوجد نفسه وحيداً بين البشر، فالتوهم، أي تركيب السلوك على الاحتمالات غير المنطقية، هو أول الدوافع التي تحرك الإنسان لصناعة علاقاته الاجتماعية، والتوهم هو الذي يجعل عاطفة الإنسان نشطة، ولولا الوهم لما عشق محبوباً، ولا تذوق جمال الورد في الربيع.

وهكذا فإن الفرد والمجتمع يمارس التديّن، بعد تكييفه بما لا يناقض المسلمات الاجتماعية التي صنعها المجتمع ذاته أو تبناها، لأسباب ليست بالضرورة دينية أو مستلهمة من الدين. بكلمة أخرى فإن ما هو مطلق ومتعال من قيم الدين، يتحول إلى نسبي

أو منـــتم حين يراد تفعيله وتشغيله، لأنه ينتقل من عالم المجردات النظـــرية إلى عالم الانتساب التطبيقي، عبر قناة مهمتها تكييف المطلقات كي تصبح نسبية أي منتمية، وبالتالي انتزاعها من حالة الإطـــلاق الملازمـــة للتجـــرد النظري، إلى حالة التقييد الملازمة للاختـــصاص بموضـــوع معين. وهذا يحصل دائما بانتزاعها من إطارهـــا الـــثقافي الأصلي وإعادة إنتاجها ضمن الإطار الثقافي للجماعـــة كـــي تـــصبح سهلة الفهم، سهلة الهضم، أي قابلة للتطبيق، وبالتالي فعالة في منح الفعل الاجتماعي معنى وقيمة.

قـــال لي صـــاحبـــي: لعل هذا المعنى يقارب فكرة "الدين المدني" التي ابتكرها جان جاك روسو (1712-1778) وسطرها في كـــتابه الـــشهير "العقد الاجتماعي"[1]. فهو هناك يتحدث عن الحاجة إلى تصنيع نموذج ديني ذي بعد غيبي يوفر الشرعية للنظام الجديـــد القـــائم على التعاقد. هذا الدين لا يرتبط - ضرورة - بالكنيسة، بل بالمجتمع السياسي.

قلـــت لصاحبـــي: بل المعنى أقرب إلى فكرة "الدين" التي ناقـــشها امـــيل دوركهـــايم في كتابه "الأشكال الأولية للحياة الدينية"[2] الذي يعد حجر الأساس في علم اجتماع الدين الذي نعـــرفه اليوم. فكرة الدين المدني التي طورها الفيلسوف الفرنسي روسو ضمن نظريته حول العقد الاجتماعي تستهدف إيجاد بديل

---

(1) Rousseau, Jean-Jacques, *The Social Contract and Discourses.* Trans. G. Cole. (London, 1973).

(2) Durkheim, Emile, *The Elementary Forms of Religious Life.* Trans. J. Swain, (New York 1961).

عــن ديــن الكنيسة، يقوم بنفس الدور لكن من دون أن يجرح القاعــدة الأساســية للعقد الاجتماعي، أي كون المجتمع مصدر السلطة، خلافاً لدين الكنيسة الذي يعتبر السماء مصدراً للسلطة ورجال الدين ممثلين للسماء وبالتالي وعاء للسلطة وحكاماً على الناس. إنه بكلمة أخرى محاولة لحل إشكالية الشرعية السياسية، وهــو بهذا المعنى أقرب إلى ما يمكن وصفه بالدين السياسي. أما التصور الذي قدمه دوركهايم، وهو أيضاً عالم اجتماع وفيلسوف فرنــسي (1858-1917) فيتناول في الأساس النموذج الديني الذي يطــوره المجــتمع بصورة عفوية كجزء من الصياغة العامة لنظام حــياته. فالدين عنده هو مصدر القيم المعنوية المشتركة بين أفراد المجتمع، والمكون الأساس للرابطة الاجتماعية. الشعائر والطقوس والمناســبات والرموز الدينية كلها أدوات لترسيخ رؤية مشتركة للذات والعالم وهي تعبير عن القيم الأولية المتفق عليها بين أعضاء الجماعــة، وبالتالي فإن التأكيد عليها هو وسيلة لترسيخ الإجماع والأخــوة. لهذا السبب فالدين بالنسبة للجماعة هو القاعدة التي يقــوم عليها - بشكل طبيعي - النظام الاجتماعي والاستقرار والتضامن الداخلي. ثمة فارق آخر جوهري بين الفكرتين، فالدين المــدني عند روسو هو إطار قيمي لصيانة المواطنة، أي إن فائدته الرئيسية متعلقة بالفرد، أما عند دوركهايم، فإن فائدة الدين تتعلق أساساً بالجماعة وهو تكليف على الفرد[1].

---

(1) حول الفوارق الأساسية بين مفهومي روسو ودوركهايم، أنظر
Marcela Cristi: *From Civil to Political Religion: The Intersection of Culture, Religion and Politics,* (Waterloo, 2001).

لكننا على أي حال لا نعتبر ديننا مثيلاً لأي من النموذجين، إذ نسلم ابتداء بأنه نازل من عند الله سبحانه وليس صنيعة المجتمع. في الوقت نفسه فنحن لا ننكر التأثير الذي يتركه المجتمع على الدين من خلال الأعراف والتقاليد والأفهام المختلفة التي تضاف إلى الدين وتصبح في غالب الأحيان جزء منه. بهذا المعنى فنحن نفصل بين دين الله ودين عباد الله. دين الله كامل ومنسجم المكونات أما دين العباد فهو في حال تغير بين الأزمنة المختلفة والأماكن المختلفة. وبسبب هذا التغيّر فقد تجد بعض أجزائه متعارضة بين زمن وآخر وبين مكان وآخر بحسب اختلاف مستويات الناس في المعرفة واختلاف خلفياتهم وتجاربهم وأنماط حياتهم.

لماذا لا نستعمل أدواتنا الخاصة

قال لي صاحبي: يرى كثير من قومنا أن مشكلتنا الثقافية لا تحل إلا من داخلها وإننا قادرون لو شئنا على استنباط علاج لأدوائنا من داخل نظامنا الثقافي، بدل أن نستعير الدواء من عند الآخرين. وهم يقبلون بالتمييز بين الدين وما نشأ على حاشيته من معارف وأعراف وتقاليد خلال القرون التي انطوت منذ ظهوره. ومن ناحية ثانية فإن كثيراً من الناس لا يمانعون في نقد هذه الحواشي. بصورة عامة فإن الكلام في التقاليد والمعارف أيسر من الكلام في الدين، فهناك لن تجد من يرفع في وجهك سيف الممنوع والمحرم. الكلام في الدين عسير لأن بعض الناس اعتبروا التفكير فيه امتيازاً خاصاً لأشخاص محددين ذوي أوصاف خاصة، أما التقاليد فهي أرض مشاع، تستطيع الوقوف فيها أو تركها كما يستطيع غيرك.

قلت لصاحبي: الأمر سواء هنا وهناك، فالتقاليد إرادات اجتماعية، أو هي بصورة من الصور تكثيف للإرادة الاجتماعية، وستجد في أرضها من يحارب حتى الموت دفاعاً عنها، وستجد من يعتبرها جزءاً من الدين أو متراساً يحمي جبهته. بل إن الفقهاء قد اعتادوا، لا سيما في الأزمان القديمة على إضفاء صفة القدسية الخاصة بالأحكام الدينية على كثير من العادات التي ما أنزل الله بها من سلطان. لعلك قرأت في كتب الفقه مثلاً إن حاسر الرأس لا تقبل شهادته ولا يؤم الصلاة، لأنهم يقربون الخروج عن العرف إلى الفسق. فالواضح إن هذه ليست من الدين في شيء لكنها أعراف اجتماعية رغب الفقهاء في بلد محدد في زمن محدد في إدراجها في كتبهم كأعراف محترمة لكنها تحولت من ثم إلى أحكام تنتقل عبر العصور من جيل إلى جيل دون أن يسائلها أحد. وقد عرضنا هذا المثال البسيط دون غيره تلافياً لجدل لا ضرورة له، وإلا فكتب الفقه والأخلاق مليئة بمثل هذا وأكثر.

والحاصل إن الذين يمانعون من الكلام في الدين، يمانعون في الغالب من الكلام في المعارف التي قامت في ظله، ويرون هذه سوراً لذاك ويخشون من المساس بها خشية أن يصل الناقدون إلى ما ورائها، ولهم في ذلك مفاهيم وقواعد أسسوها ونظموها مثل قاعدة سد الذرائع التي تعني منع الأفعال المباحة التي يمكن أن توصل الفاعل إلى ما هو غير مباح. ألا ترى أنهم يمنعون أشكالاً عديدة من الحريات الفردية ومظاهر الانفتاح الاجتماعي والسياسي والثقافي بدعوى أنه تسهيل للتملص من قيود الدين؟ المشكلة إذن ليست في التمييز بين الدين وغير الدين، بل بين

حرية التفكير والتعبير وعدمها. فما دمنا نسمح أو نقبل بالتقييد فإن موارد التقييد سوف تتعدد وتتسع بحيث لا تقف عن حد. ثم إن الاتفاق على تشخيص واحد للحد الفاصل بين ما نسميه ديناً وما نسميه معرفة دينية وما نسميه تقاليد اجتماعية أمر في غاية العسر. أنت تجد أن كثيراً من التقاليد والأعراف الاجتماعية قد اكتسبت لوناً دينياً، لا لشيء إلا لأن السابقين من الفقهاء والمفكرين ظنوا أن اعتياد المسلمين على الأخذ بها وعدم الخروج عن حدودها دليل على وجود مصلحة فيها قد لا تكون معلومة لنا، وعلى هذا النسق جرى اعتبار "الشهرة" و"سيرة المتشرعة" أمارة يستند إليها في تعزيز الأدلة الضعيفة في الفقه. إن شهرة بعض الأحكام أو مفاهيم الأدلة أو جريان سيرة المؤمنين على فهم خاص أو سلوك خاص، ليس في حقيقته سوى واحد من الأفهام التي توافقت في وقت ما أو في أوقات مختلفة مع تقاليد أو أعراف أو أنماط من العيش اعتاد عليها الناس وانسوا بها. لكن الفقهاء أنزلوها منزلة الدليل الشرعي الذي تصدر وفقه أحكام ملزمة للناس في مختلف الأزمنة والأماكن. وكما جرى الأمر في الفقه على هذا النحو، فهو جار أيضاً في مختلف جوانب الحياة. إنك ترى عند أهل الإسلام، ولا سيما حملة علوم الشريعة منهم، مفاهيم خاصة حول السياسة والسلطة، وحول قيمة العلوم المدنية بأنواعها، وحول المال والاقتصاد، وحول الأدب والفن، وحول الثقافة والفولكلور، وحول الهندسة الاجتماعية والعلاقات بين الناس، وحول مراتب القيم ومصاديق الحسن والقبح، وموارد كثيرة أخرى.. مفاهيم غريبة

جداً على واقعيات الحياة المعاصرة وحاجات الإنسان المعاصر، لكنهم مع ذلك يأنسون بها ويميلون إليها ويدافعون عن بقائها، ويبغضون أغيارها، لا لشيء إلا لأنهم قد عرفوها مما قرأوه من التراث وأنست إلى رموزها وعوالمها ومثالياتها نفوسهم. والإنسان بطبعه ميال إلى ما يعرف معرض عما يجهل. لكن المشكلة اليوم إن هؤلاء وغيرهم من سائر الناس ينظرون إلى هذه الأعراف والعادات باعتبارها مصداق الحقيقة الدينية أو رداءها. وبالتالي فهم لا يرونها منفصلة عن الدين بل متصلة به اتصالاً يرفعها إلى مرتبة الجزء من الكل وان اختلفت من حيث الطبيعة والجوهر. هذا من حيث الموضوع.

أما من حيث المنهج، فإني أميل إلى الاعتقاد بأن نظامنا الثقافي لا يحمل في داخله أدوات لنقده نقداً منصفاً غير منحاز. وتلك لعمري طبيعة في كل الأيديولوجيات والنظم الثقافية. إذا استعرنا نظرية الفيلسوف الأمريكي توماس كون في تطور المعرفة، فإن كل منظومة معرفية paradigm هي أشبه بحصن يعطي لمن في داخله شعوراً بالاكتفاء من دون أن يروا ما هو خارج الأسوار. كل نظام معرفي مجهز بأدوات دفاعية تزين لأعضائه مسارهم وتحجب عنهم عيوبه[1]. وبصورة عامة فإن القليل من الناس يميلون إلى البحث عن عيوب في نظام حياتهم أو متبنياتهم الثقافية، وهم في العادة يأخذون مقولاتها كمسلمات غير قابلة للتفكيك أو النقد.

---

(1) Thomas Kuhn, *The Structure of Scientific Revolutions,* (London, 1970), pp 150-1.

كلـــنا نعرف أننا متخلفون وأن ثقافتنا متوقفة عند عصور الماضـــين. والحـــق أن هذا ليس اكتشاف اليوم، بل هو عرض اكتـــشفه المـــسلمون مـــنذ أواخر القرن التاسع عشر. أنظر إلى كتابات ورسائل المرحوم جمال الدين الأفغاني لتعرف صدق هذه المقالة، وأنظر إلى كتابات تلاميذه وتلاميذهم، كالمرحومين محمد عبده ورشيد رضا والكواكبي والنائيني لتعرف أن ما نقوله اليوم قـــد قـــيل على ألسنتهم قبلنا بمائة عام أو تزيد. لكننا مع سبق اكتشافنا لأعراض علة التخلف، ما نـــزال عاجزين عن التحقق مـــن العلة نفسها، أي تحليلها والتعرف على علاجها. وأدعي أن الـــسبب وراء هـــذا العجـــز هو إصرارنا على استعمال وسائل تـــشخيص من داخل ثقافتنا. وما دامت هذه الوسائل جزء من تلك الثقافة، فهي مثلها مصابة بدائها. إني أزعم بأن الإنسان غير قـــادر على نقد ذاته لأنه لا يستطيع استعمال ذاته في نقد ذاته. نقـــد الذات يقتضي معرفة لما هو أمثل منها، ولو عرف الإنسان ذلـــك الأمـــثل لاصطنعه لنفسه. ولو فعل ذلك لما عد في طائفة المتخلفين. إن عجز الإنسان عن نقد ذاته راجع إلى ميل الإنسان الطبيعي لاعتبار ما يراه وما يفعله عين الصواب، هذا الاعتبار هو عـــبارة عـــن عقـــيدة وروحية تمثل في مجموعها مجموع الذات الإنـــسانية. ولـــو حاول إنسان من هذا القبيل مناقشة ذاته فإن تفكـــيره في الـــذات ســـيكون أقـــرب إلى التبرير منه إلى النقد والتفـــسير، أي أنه لن يكون تفكيراً بالمعنى الدقيق، أليس يقول القـــرآن ﴿كَلَّا ۖ بَلْ ۜ رَانَ عَلَىٰ قُلُوبِهِم مَّا كَانُوا يَكْسِبُونَ﴾، (المطففـــين 14) ويفـــصل في آية أخرى كيف أن النفس المتشكلة بحسب ما هو سائد، تجعل الإنسان عاجزاً عن رؤية الحقيقة، يقول تعالى حكاية

عن المشركين ﴿وَقَالُواْ قُلُوبُنَا فِيٓ أَكِنَّةٖ مِّمَّا تَدۡعُونَآ إِلَيۡهِ وَفِيٓ ءَاذَانِنَا وَقۡرٞ وَمِنۢ بَيۡنِنَا وَبَيۡنِكَ حِجَابٞ﴾ (فصلت 5).

إزاء هذا، فليس ثمة بد من استعمال أدوات أخرى للتفكير، أدوات لا تنتمي إلى الذات. كي يكتشف الإنسان عيوب نفسه وعيوب ثقافته فهو بحاجة إلى تعريضها لنقد الآخرين، إذا أردنا أن نعرف عيوب ثقافتنا فلنضعها على طاولة المقارنة مع ثقافات العالم، ولنستعمل أدواهم النقدية في تشريح ما عندنا، فهي ستكون أكثر حيادية وأقل تأثراً بخطوط الدفاع التي تقيمها ذواتنا في وجه النقد. أعرف أن هذا عسير على القلقين وأصحاب البنى الضعيفة. فالأسماك التي اعتادت الحياة في أحواض مكيفة، تعجز عن احتمال تيارات البحر المفتوح. سوف تحتاج إلى الكثير من البأس والكثير من قابلية التحمل، قبل أن ترى عيون الآخرين وأفكارهم تنهش ما كنت تظنه أقرب الأشياء إلى نفسك، لكنك لن تخسر المعركة، سوف تربح الحقيقة وتربح نفسك، ومن يضحك أخيراً يضحك كثيراً، كما قال أهل الأمثال.

لكني أخشى أن أتحول إلى أضحوكة بدل أن اضحك، قال صاحبي، فالتوسل بالغير لا يخلو من مخاطرة، إنك تخوض حرباً بسلاح لم تألف استعماله.

قلت لصاحبي: نحن الآن أضحوكة بالفعل. ألا ترى أن العالم كله يستهزئ بنا، ألا ترى أننا نباهي صباح مساء بعلو الحق وعظمته، ونحن، الذين نظن أنفسنا أهل الحق، قابعون في الأسافل. نحن اليوم يا صاحبي مثل غني جاهل، يملك كنوز قارون، لكنه عاجز عن الاستمتاع بما يملك، وإذا ناظرنا الناس

بأفعـــالهم ناظــرناهم بأنسابنا وأفعال آبائنا، نقول: كان أسلافنا المـــسلمون أهل علم وقوة وبناة حضارة. إننا نملك ما لو توسلنا بهديـــه لأكلنا من فوقنا ومن تحت أرجلنا، وصعدنا ذرى المجد، لكنـــنا حبـــسناه في قفص الأوهام الباطلة والتصورات السقيمة والتقالـــيد المـــتخلفة، حتى أصبح عاجزاً عن الفعل، عاجزاً عن التأثير. الدين الذي نؤمن به حري بأن يقيم حضارة عظمى، وهو أهل لأن ينقذ أهله مما هم فيه، لكنه بحاجة إلى تفعيل. ولا يمكن أن يكـــون فـــاعلاً إلا إذا حـــررناه مـــن سجنه الذي حبسناه وراء جدرانـــه، يقـــول الحق سبحانه ﴿وَلَوْ أَنَّ أَهْلَ ٱلْقُرَىٰٓ ءَامَنُواْ وَٱتَّقَوْاْ لَفَتَحْنَا عَلَيْهِم بَرَكَـٰتٍ مِّنَ ٱلسَّمَآءِ وَٱلْأَرْضِ وَلَـٰكِن كَذَّبُواْ فَأَخَذْنَـٰهُم بِمَا كَانُواْ يَكْسِبُونَ * أَفَأَمِنَ أَهْلُ ٱلْقُرَىٰٓ أَن يَأْتِيَهُم بَأْسُنَا بَيَـٰتًا وَهُمْ نَآئِمُونَ * أَوَ أَمِنَ أَهْلُ ٱلْقُرَىٰٓ أَن يَأْتِيَهُم بَأْسُنَا ضُحًى وَهُمْ يَلْعَبُونَ * أَفَأَمِنُواْ مَكْرَ ٱللَّهِ ۚ فَلَا يَأْمَنُ مَكْرَ ٱللَّهِ إِلَّا ٱلْقَوْمُ ٱلْخَـٰسِرُونَ * أَوَلَمْ يَهْدِ لِلَّذِينَ يَرِثُونَ ٱلْأَرْضَ مِنۢ بَعْدِ أَهْلِهَآ أَن لَّوْ نَشَآءُ أَصَبْنَـٰهُم بِذُنُوبِهِمْ ۚ وَنَطْبَعُ عَلَىٰ قُلُوبِهِمْ فَهُمْ لَا يَسْمَعُونَ﴾، (الأعـــراف 96 - 100).

أحد أهم المصاديق لتحرير الدين، هو إعادة التمييز بينه وبين الـــذات، لكي يتخذ كل منهما مكانه الصحيح، ثم إعادة صياغة الـــذات، أعني محتواها الثقافي والقيمي، بما يتلاءم مع دعوة الدين ونظامـــه القيمـــي، وهي عملية تعاكس ما جرى خلال سنوات الركود الطويلة التي شهدت صياغة خاطئة للدين بما يلائم الذات الاجتماعية وإرادالها، بل وعيوبها. هذا هو الامتحان الكبير الذي يجدر بنا احتماله والنجاح فيه، يقول الحق سبحانه ﴿أَحَسِبَ ٱلنَّاسُ

أَن يُتْرَكُوٓاْ أَن يَقُولُوٓاْ ءَامَنَّا وَهُمْ لَا يُفْتَنُونَ * وَلَقَدْ فَتَنَّا ٱلَّذِينَ مِن قَبْلِهِمْۖ فَلَيَعْلَمَنَّ ٱللَّهُ ٱلَّذِينَ صَدَقُواْ وَلَيَعْلَمَنَّ ٱلْكَٰذِبِينَ﴾، (العنكبوت 2 – 3).

ربما تكـون البداية صعبة، وربما يضحك علينا كثير من الناس، كما يضحكون على كهل عاد إلى مقاعد الدراسة بعد أن تصرم ربيع العمر، لكن العبرة بالنتيجة، وإذا نجحنا في الامتحان فسوف نضحك، بل سوف نضحك كثيراً ﴿ذَٰلِكَ بِأَنَّ ٱللَّهَ لَمْ يَكُ مُغَيِّرًا نِّعْمَةً أَنْعَمَهَا عَلَىٰ قَوْمٍ حَتَّىٰ يُغَيِّرُواْ مَا بِأَنفُسِهِمْۙ﴾ (الأنفال 53).

الفصل الثاني

الإسلام والنهضة: السؤال الخطأ

قال لي صاحبي: خلاصة ما توصلنا إليه إن ما في نفوس المسلمين هو إسلام ملوّن بلون مجتمعهم فهو إسلام متخلف مثلهم، عاجز عن النهوض بهم مثل عجزهم عن النهوض بذاتهم. فإذا كان الأمر كذلك فقد وقعنا في دائرة مغلقة من نوع ما يسميه أهل المنطق بالدور، فنحن ندّعي أن الإسلام كفيل بإنهاض الأمم الواهنة، كما فعل بأمة العرب في أول عصره. لكننا ندعي من جهة أخرى أن الوهن الذي أصاب المسلمين جعل دينهم عاجزاً مثلهم. فكأننا نقول - من باب المثال - إن الإسلام دواء لعلة المسلم، لكنه لا يكون فعالاً إلا إذا كان المسلم معافى من المرض، أي - في الحقيقة - غير محتاج إلى الدواء.

قلت لصاحبي: الأمر فعلاً كما قلت، نحن ندور في دائرة مغلقة. ألا ترى قومنا يدعون في كل مناسبة إلى التمسك بعرى الدين، فما رأينا الذين تمسكوا به قد اختلفت حالهم عن أولئك الذين تخلوا عنه. بل لعل الحال هناك أسوأ. أنظر مثلاً إلى أفغانستان التي حكمتها حركة دينية كيف ازدادت تخلفاً فوق ما كانت فيه، فالجامعات التي هي نبع العلم أغلقت، وأهل المال

الـــذين بـــيدهم عصب معيشة الناس فروا من ديارهم إلى ديار الإغتـــراب، وأصبح الناس في ضنك وضيق معيشة، وتضاعفت العطالـــة والبطالة حتى لجأ كثير من الناس إلى الاشتغال بزراعة المخدرات أو الانضمام إلى قوى القمع الحكومية من أجل تأمين خبز يومهم وكفاف أهلهم. وهاك مثال إيران التي يحكمها علماء ديـــن أكثـــر تنوراً فأنظر كيف هاجرت نخبتها العالمة زرافات ووحدانا[1]، وكيف قمع الكتاب وأهل الرأي حتى بلغ ما أغلق مـــن الصحف والمجلات في بضعة أعوام ما يزيد على المائة. لقد ســـخرت دولـــة علماء الدين أقوى المنابر ووسائل الاتصال من الإذاعـــة والتلفـــزيون والصحف ومنابر الجمعة لدعوة الناس إلى الـــدين طيلة ربع قرن. ومع هذا فإن معظم الدراسات والبحوث الميدانـــية تـــشير إلى تراجع مستمر في الالتزام بالدين[2]، بل إن الكثير ممن زاروا إيران حديثاً ينقلون مشاهدات مريعة، من قبيل انحسار الاحترام الذي كان يلقاه رجل الدين بين عامة الناس، لا ســـيما في المـــدن الكبرى مثل العاصمة طهران. وأنظر إلى مثال المملكـــة العـــربية السعودية التي لم تجد حكومتها بدا من تعطيل الكثير من الأنشطة الدينية، وحل الهيئة الدينية التي كانت تشرف

---

(1) ذكـــرت إحـــصاءات رسمية أن 105 آلاف جامعي يهاجرون من إيران ســـنوياً، بيـــنهم عدد كبير من ذوي المؤهلات العالية، وتقدر الحكومة الخـــسائر الـــناجمة عن هذه الهجرة بما يزيد عن 50 مليار دولار سنوياً (صـــحيفة إيران 3 مارس 2003). وطبقا لاستقصاء للرأي بين أساتذة الجامعـــات الإيرانية في العام 2002 فان 70% منهم يفكر في الهجرة إلى الخارج. إيران (13 أغسطس 2002).

(2) ديناري ونسل جوان أمروز، صحيفة إيران (27 مايو 2002).

علــى تعلــيم البنات[1] بعد أن تكشف قليل من كثير من البلاء الــذي مني به الناس من وراء تلك الأجهزة التي نصّبت نفسها وكيلة لله على عباده. فهذه وأمثالها تظهر أن المزيد من التديّن لم يغيّــر من واقع الحال شيئاً، ولا دعاة الدين قدموا نموذجاً يختلف عما نعرفه من حال بئيس في شتى الأقطار.

قال لي صاحبــي: ما قلته مثال على الأسئلة الخطأ التي تؤدي - بالــضرورة - إلى أجوبة خاطئة. لقد فسر قومنا تخلفهم بأنه نــتاج للانحراف عن الدين أو قلة العناية به. وبالتالي فقد ربطوا الــتقدم بالمزيد من الالتزام بعراه. وحين التفتوا إلى الدين الذي يعــنون فقد وجده كل منهم في الدين الذي التزم به هو. ولهذا

---

(1) تأســست الرئاسة العامة لتعليم البنات في العام 1959 ضمن تسوية بين الملــك ســعود وعلماء الدين الذين كانوا يعارضون في أول الأمر تعليم البنات، وجاء في الأمر الملكي الذي نشرته المجلة الرسمية (أم القرى) في 21/4/1379هــ الموافق 23/10/1959م: (صحت عزيمتنا على تنفيذ رغبة علمــاء الــدين الحنيف في المملكة في فتح مدارس لتعليم البنات العلوم الدينــية، مــن قرآن وعقائد وفقه وغير ذلك من العلوم التي تتمشى مع عقائدنا الدينية، كإدارة المنــزل، وتربية الأولاد وتأديبهم مما لا يخشى منه في العاجــل أو الآجل أي تأثير على معتقداتنا، وتكون هذه المدارس في مــنأى مــن كــل شبهة من المؤثرات التي تؤثر على أفكار النشء، في أخلاقهــم وصــحة عقــيدهم وتقاليدهم، وقد أمرنا بتشكيل هيئة من كــبار العلمــاء الــذين يتحلون بالغيرة على الدين والشفقة على نشء المــسلمين، لتنظــيم هذه المدارس ووضع برامجها ومراقبة حسن سيرها فــيما أنــشئت لــه وتكون هذه الهيئة مرتبطة بوالدهم حضرة صاحب الــسماحة المفــتي الأكبر الشيخ محمد بن إبراهيم آل الشيخ) أما إلغاء الرئاسة فقد جاء في سياق أمر ملكي أصدره الملك فهد بن عبد العزيز في 10/1/1423هــ (24 - 3 - 2002).

فأنــت ترى الدين الجاري في كل من الدول الثلاث التي ذكرت مختلف عن الآخر إلى حد التناقض.

ولعلنا في تأملاتنا السابقة قد شاركنا الناس هذا الخطأ. فما قلناه، وإن كان مركزاً على بيان الفارق بين الدين المتجرد والدين الاجتماعي، أو بين الدين والمعرفة الدينية كما يسميه الفيلسوف الإيراني عبد الكريم سروش، إلا أن بعض إشاراتنا ربما أوهمت بأن مجرد الالتزام بالدين الصحيح هو السبيل إلى النهوض الحضاري.

قلت لصاحبــي: الكل في عالم الإسلام، أهل التقليد وأهل التجديد يذهبون إلى هذا القول، فجميعهم متفق على أن الالتزام بالــدين هو طريق التقدم، بل الطريق الوحيد إليه. وهم يرجعون في هــذا إلى وعد الله سبحانه بالعلو للمؤمنين كما يرجعون إلى تجربة المسلمين في تاريخهم الماضي، فقد عبر أسلافهم على جسر الإيمــان إلى التقدم العلمي والحضاري والغلبة في الأرض، فهذه وتلك دليل عندهم على الترابط بين الإيمان والتقدم[1].

قــال لي صاحبــي: لو صح هذا الأمر فلم لا نرى نهوضاً ومدنية عند أي من الطرفين في أيامهم الحاضرة؟ إن عدد المؤمنين بمنهج التقليد غير قليل، والمؤمنين بالمنهج الآخر مثلهم، ومع هذا فلا نرى بشارات مدنية عند هذا ولا ذاك. لقد افترضنا سلفاً أن الــتديّن والتقدم شي واحد، أو أنهما متلازمان لا ينفك أحدهما عــن الآخــر. وإن التخلف والابتعاد عن الدين شيء واحد لا

---

(1) أنظر مثلاً: حسن البنا: مشكلاتنا في ضوء النظام الإسلامي، ن. إ.:
http://www.daawa-info.net/books1.php?id=5136&bn=195&page=14

ينفصل أحدهما عن الآخر. والحق إن التديّن والتقدم شيئان مختلفان في الماهية ومختلفان في الأسباب. ولهذا تجد أمماً متقدمة وهي بعيدة عن الدين، وأمماً متخلفة وهي تبالغ في إقامة شعائر الدين. وفي ظني أن إحالة سؤال التخلف على الدين هو جوهر الخطأ الذي وقعنا فيه. والحقيقة إن هذا خطأ وقع فيه المؤمنون بالدين والمخالفون له، فهؤلاء ظنوا أن تخلّف المسلمين عن ركب المدنية هو ثمرة لتمسكهم بدينهم. بينما ظن أولئك أن تخلّفنا عائد إلى عدم التزام المجتمع بعرى دينه. وفي ظني أن المعارضين للدين اقتبسوا التصور الأوروبي للحداثة من دون تمحيص، بينما انطلقت معارضة المتدينين لهذا المنحى من ردة فعل غير متبصرة.

قلت لصاحبي: لعل الاختلاط الحاصل بين الدين والتمدن مرجعه إلى غياب النموذج الحضاري الذي نريد الوصول إليه. حينما يتجادل الناس حول الحضارة فإنهم يضعون أمامهم المثال الأوروبي باعتباره التطبيق الواقعي للفكرة. ونحن نعلم أن هذا النموذج قام على إنكار دور الدين والتأكيد على أبعاده عن دائرة الحياة العامة، ولهم في هذا المذهب مبررات وأدلة كثيرة وأساس متين لا يمكن إنكاره.

قال الصاحب: أكثر قومنا ينظرون إلى التجربة الحضارية السابقة في تاريخ المسلمين باعتبارها النموذج الأمثل لمن يريد الاحتذاء. وربما كان هذا هو السبب في إلحاحهم على العلاقة بين الإيمان والتمدن. وربما كان أيضاً سبب الارتياب المشهود بين قومنا، لا سيما المتدينين منهم، في النموذج الأوروبي للمدنية وفي دعوات الداعين للأخذ به. لكن على أي حال فإن حديث قومنا

عـن حضارة المسلمين الماضية مثل حديثهم عن حضارة الغرب القائمـة لا ثمرة فيه، فهو أقرب إلى التسطيح منه إلى سبر أغوار القضايا وتحليل جوهرها. مسلمو الأمس لم تقم حضارتهم بمجرد الالتـزام الـشكلي بشعائر الدين كما هو الحاصل اليوم في بلاد المسلمين. كما أن حضارة الغرب لم تقم بمجرد إنكار الدين كما ظـن البعض منا. بناء الحضارة هو موضوع قائم بذاته، كما أن الالتزام بالدين موضوع قائم بذاته. والحق إنه يمكن بناء حضارة مـن دون ديـن، كمـا يمكن الالتزام بالدين دون أن يأخذنا بالضرورة إلى الحضارة. لكن لا شك أن اجتماع المدنية مع القيم الـسامية الـتي جـاء بها الدين هو أعلى ما يمكن أن يصل إليه الإنسان في سعيه نحو الكمال.

قلت لصاحبـي: إذا كان الأمر كذلك فلماذا نكرر الكلام عن العلاقة بين الدين والمدنية، ولماذا يأتي الكلام عن الدين كلما طرح سؤال الحضارة؟

قال صاحبـي: سؤالك هذا مثال على الخلط السائد عندنا بـين الموضوعات المختلفة، وهو خلط كثيراً ما أبعدنا عن فهم الحقائـق ومـصاديقها. لدينا سؤال فلسفي فحواه: هل هناك ارتباط سببـي بين الدين والحضارة؟ بمعنى هل يمكن لنا أن نقيم حـضارة من دون التخلي عن ديننا، أو هل يمكن للدين - في معـناه المجـرد على الأقل - أن يكون عوناً على الوصول إلى المدنـية؟ في جوار هذا لدينا سؤال آخر اجتماعي فحواه: هل يمكن لنمط التديّن السائد عندنا أن يساعد على إقامة الحضارة المنشودة أم أنه عائق في طريقها؟ يقوم كل من هذين السؤالين

على فرضية مختلفة عن الثاني. فالأول يناقش الفرضية الأوروبية التي تقول بالعلاقة الجوهرية بين العلمانية والتطور، مقابل الفرضية الإسلامية التاريخية التي تقول بإمكانية تصميم نموذج حضاري لا يتعارض مع الدين، بل يستفيد من الفكرة الدينية في تطوير أداء الإنسان. إن قومنا يعيبون على حضارة الغرب ماديتها المفرطة وتحوّل الإنسان فيها من هدف للبناء الحضاري إلى مجرد أداة للبناء، وتمييزها البغيض بين الأمم المتقدمة ونظيرتها المتخلفة، تمييزاً أدى إلى إجازة استغلال الأولى للثانية من دون تحفظ. أما السؤال الثاني فهو يناقش النزاع القائم بين أهل التجديد وأهل التقليد حول نمط التديّن السائد. نحن نعرف أن أهل التقليد يدعون إلى المزيد من الالتزام بتعاليم الدين، ومحل اهتمامهم هو الجوانب الشعائرية والسلوكية المعروفة والتي ورثناها من أسلافنا السابقين. وحينما يفكرون في التجديد فحدود تجديدهم هو الوسائل والصور والإطارات وليس المنهج نفسه أو القواعد المتعارفة والتي ترسخت وجرى العمل بها منذ مئات السنين. أما أهل التجديد فيرون أن التديّن في صورته القائمة لا يغني ولا يسمن. وهم يقرّون بأن هذا المنهج قد ساهم في الحفاظ على حرارة الدين في قلوب المؤمنين طوال القرون الماضية. مع أنه في رأيهم ليس سوى صورة ناقصة عن الدين الكامل الذي وعد الله أهله النصرة ورغيد العيش. وهم يرجعون هذا النقص إلى الاختلاط الشديد بين جوهر الرسالة الدينية وقيمها العابرة للزمان والمكان وبين الشروح والتفسيرات والأفهام التي هي بطبعها مشروطة بزمنها ومكانها. في عصور

الإســلام الأولى تطــوّر فهم الدين إلى مستويات رفيعة فسبق المســتوى العــام للعلم والثقافة في ذلك العصر. وسبقه للعصر جعلــه بالــضرورة دليلاً لحركة المسلمين في سعيهم إلى التقدم الحضاري. لكن بعد انهيار تلك التجربة ونكوص المسلمين إلى دائــرة التخلف التي سادت زمناً طويلاً وتوجت بسيطرة الأجانب على بلادهم، فإن النشاط العلمي والإبداعي قد توقف، وانفصل العلم الديني عن العلوم المدنية كما انفصل عن الحياة. فبعد أن كانــت معاهــد العلــم الديني منارات للعلم والمعرفة في شتى جوانــبها، تراجع اهتمامها إلى حدود فقه العبادات والقليل من أحكام المعاملات، ولم يعد للعلوم المدنية مكان في هذه المدارس كمــا لم يعد العالم الديني منشغلاً بحياة الناس ومتغيراتها، ولهذا انفصل علم الدين عن الحياة، ولم تعد بحوث العلماء وأعمالهم العلمية متصلة بدنيا الناس وهمومهم اليومية حتى إن الناظر إليها - كمــا يقــول الحكيمي - يحسب أن الدين غريب عن هذه الحياة وحركتها[1]. أدى هذا الانفصال بطبيعة الحال إلى توقّف المعــرفة الدينية عند نقطة ما في عصر سابق، بينما كانت حياة الناس في عالمهم الجديد تتحرك دون توقف وتأتي بجديد في كل يوم. وخلاصة الكلام إن ما لدينا من الدين هو في حقيقة الأمر النــسخة القديمة من الدين التي تركها لنا أجدادنا. وفيها يختلط الجوهــري مــن الرسالة بالصور والإطارات التي هي انعكاس للظــرف الاجتماعي الخاص بزمن الأجداد. هذه النسخة من

---

(1) محمــد، محمد وعلي الحكيمي، الحياة، (بيروت 1987) الدار الإسلامية، ج 2، ص. 356.

الدين لا علاقة لها بالعصر الذي نعيش فيه ولا تلبي حاجاته ولا تجيب على أسئلته. ولهذا يرى أهل التجديد أن المزيد من الالتزام بهذه النسخة من الدين لن يجدي نفعاً في معالجة المشكلات الكبرى التي يعاني منها مسلّم اليوم ولا سيما مشكلة التخلف الحضاري. إننا بحاجة إلى نسخة جديدة من الدين، نسخة تتناغم مع عصرنا الراهن في حاجاته وتحدياته وهموم أهله. وهذا يتطلب بالضرورة إعادة نظر في المنهج والقيم الأساسية والقواعد الناظمة لحركة الفرد والمجتمع، وليس مجرد تغيير الإطارات والأساليب كما يزعم أهل التقليد. بالأمس كان لدينا مساجد وحسينيات يمارس فيها الدعاة الوعظ والإرشاد، ولدينا اليوم قنوات فضائية تشكل ما يمكن تشبيهه بمساجد وحسينيات على الهواء. بالأمس كنا نحتفظ بعلوم الدين في أوراق مخطوطة وهي اليوم متوفرة في كتب أنيقة الطباعة، وهي متوفرة على شبكة الانترنت التي يصل إليها القاصي والداني، فهل أثمر هذا التغيير في الأساليب عن تحوّل ملموس في أحوال المسلمين؟ لم يحصل في حقيقة الأمر أي تغيّر جدي لأن المشكلة لم تكن في أسلوب التخاطب أو في أدوات التوصيل بل في مادة الخطاب نفسها، في القيم والقواعد والتعبيرات والمصاديق التي تعاملنا معها لزمن طويل باعتبارها الصورة النموذجية للدين. ولهذا فإن التجديد لا ينبغي أن يقتصر على الأشكال والوسائل بل لا بد أن يتناول المنهج والقواعد والقيم. بكلمة أخرى: نحن في حاجة إلى إعادة نظر شاملة، لا تستثني مساءلة المتفق عليه وموارد الإجماع، لأنها في نهاية المطاف أفهام فرضها البشر على الدين بحسب حاجاتهم

ومستوى تفكيرهم، أي بحسب زمنهم الثقافي. وبناء على هذا فهي ليست جزءاً من جوهر الدين بل هي تمثيل لظرف تاريخي خاص بمن وضعها أو مارسها وليست فرضاً علينا أو على من يأتي بعدنا.

ما هو طريق النهضة إذن؟: الحداثة؟

قلت لصاحبي: لنفترض أن الدين والنهضة موضوعان مختلفان، فلنحاول إعادة صياغة سؤال النهضة من جديد، لنقل مثلاً:

ما هي عناصر النهوض الحضاري وما هي متطلباته؟

هل يمكن لنا أن نتقدم حضارياً رغم الإشكالات المعروفة في واقعنا الحاضر؟

وأشير إلى أن مالك بن نبي قد طرح في منتصف القرن الماضي فكرة الأركان الثلاثة - أو الأربعة - للحضارة أي: الأرض والإنسان والزمن ثم الثقافة التي تلعب دور الرابط بينها، فهل يمكن اعتبار هذا التصوير العام جواباً مناسباً لمن قد يطلب جواباً سريعاً عن سؤال التقدم؟

قال لي صاحبي: جواب المرحوم مالك شديد التعميم إلى حد يستحيل معه أن يكون جواباً مفيداً رغم إنه صحيح على المستوى النظري. ولعل المتغيّرات التي حدثت في العالم خلال العقود الأربعة المنصرمة توجب تقديم جواب مختلف. فكرة التقدم، مثل كل الأفكار الأخرى تتغير وتتطور بتأثير العوامل الخارجية، إنسان العقد الأول من القرن الواحد والعشرين يختلف كثيراً عن إنسان الستينات من القرن الماضي، وعلم اليوم يختلف

عن علم تلك المرحلة كما تختلف وسائل العمل[1]. وبالتالي فإن فكـــرة الحركة والنهوض اختلفت من حيث الشروط والمتطلبات والأدوات والمقاييس، رغم إن جوهرها لا زال كما كان في تلك الحقبة.

لا بـــد هـــنا من القول إن المسلمين ليسوا بحاجة إلى إعادة اختـــراع العجلة أو إعادة تجريب المجرب، فلهم عبرة بتجربتهم التاريخية الخاصة، وتجارب الأمم التي ورثوا حضاراتها، وتلك التي ورثت حضارتهم، فكل منها دليل على الطريق. نحن اليوم نتكلم عـــن الحداثة والمعاصرة وليس عن "الحضارة" كما اعتاد المرحوم مالـــك بن نبي، ونرى أن النهوض مستحيل دون الحداثة. ومن هـــذه الـــزاوية فإن شروط الحداثة هي شروط النهضة. الحداثة مفهـــوم واســـع نسبياً يضم بين أجزائه عناصر تتعلق بالسياسة والاقتـــصاد والثقافة والإنسان واستثمار الموارد. فعلى المستوى السياسي تعتبر المساواة وحاكمية القانون وحماية الحريات العامة هـــي الحـــد الأدنى مـــن متطلبات التحديث، ويتلوها المشاركة الـــسياسية وصـــولاً إلى الديمقـــراطية الكاملة. وعلى المستوى الاقتـــصادي فان الشرط الأول هو توفر البيئة المناسبة للاستثمار وحمايـــة الملكية الفردية، وعلى المستوى الاجتماعي نجد العقلانية وربـــط مكانة الفرد بكفاءته الشخصية لا هويته الموروثة. وعلى

(1) يقدر زريق أن المعرفة الإنسانية كانت تتضاعف من حيث الحجم مرة كل ســـبع إلى عـــشر سنوات في أواخر الستينات، وان هذه الفسحة الزمنية ســـوف تـــضيق إلى أربـــع سنوات في بداية القرن الواحد والعشرين. قـــسطنطين زريق: نحن والمستقبل، (بيروت 1980)، دار العلم للملايين، ص. 108.

المستوى الثقافي فإن احترام العلم وتحريره من قيود الأيديولوجيا والتعويل عليه في تقديم الحلول هو الشرط الأول للحداثة. فهذه العناصر تمثل الأجزاء الرئيسية لمشروع النهضة الذي نبتغيه.

قلت لصاحبي: حديث الحداثة مثير للجدل، ولو طرحناه على قومنا لبادرنا أولهم بالسؤال مستنكراً: وأين الإسلام من كل ما ذكر؟

قال الصاحب: وهذا أيضاً مثال آخر على الأسئلة الخاطئة فالفرضية التي انطلق منها هذا السؤال هو إن هناك حداثة إسلامية وحداثة غير إسلامية، وهذا غير صحيح. الحداثة هي منظومة مفاهيم ومعايير تتعلق بسبل العمل والتعامل، لو نظرنا في تطبيقاها الممكنة فلن نجد تعارضاً بين أي منها وأي من قواعد الدين الحنيف. لكن لا بد هنا من ملاحظة أمور ثلاثة:

أولها: إن تجربة الحداثة قد تطورت في مجتمعات غير مسلمة فتلوّنت بلوها، ولسنا مجبرين على أن نأخذها بهذه الألوان، ما يهمنا في الحقيقة هو مفاهيمها الأساسية.

الثاني: الدين الذي بين أيدينا ليس منزّهاً عن العيب، فهو الآخر قد احتمل في مسار الزمن الكثير من سمات التخلف التي طبعت حياة حامليه. ولا بد إذن من النظر النقدي في هذه النسخة من الدين لاستبعاد كل ما يميت الهمم، وما يتعارض وضرورات النهوض. وهذا لا ينتقص من شأن الدين الحنيف، بل أراه جوهر فكرة التجديد في الدين التي تروى عن سيد المرسلين، فمعنى التجديد فيما أظن هو استنقاذه من قيود الارتهان إلى الواقع الخاص بحامليه.

الثالث: في تعاملنا مع تجربة البشرية، سواء تلك التي حملت طابع الإسلام أو غيره، فإننا ننظر إلى الأشياء نظرة إيجابية لكننا لا نتخلى عن دور الناقد. إن علاقتنا مع الثقافات المختلفة والتجارب المختلفة، بما فيها تجربتنا الخاصة، علاقة تفاعل نقدي، ينبغي أن لا نستسلم لبريقها كما لا ننتفخ غروراً وتكبّراً عليها. فتلك مثل الذي عندنا، نتاج جهود البشر ومحاولاتهم الدؤوبة لتطوير علاقتهم مع الكون الذي سخر الخالق موارده للجميع. تجربة الإنسان في أي قطر وأي دين وأي مرحلة من مراحل التاريخ ملك لجنس الإنسان، لا هي ممنوعة عنه ولا هي قيد عليه. إنها تجربة وحسب، يأخذ الإنسان ما يستفيده منها ويتجاوزها إلى ما هو أرقى.

قلت لصاحبي: حديث المرحوم مالك بن نبي يصلح في ظني أساساً للبحث في القيم المؤسسة لفكرة النهضة وهو ينطوي على قابلية كبيرة لتطوير نموذج محلي للنهوض يتناسب مع الخصائص الثقافية والإنسانية لمجتمعاتنا. من بين العناصر الأربعة المكونة للحضارة التي اقترحها مالك، أي الإنسان والتراب والزمن والثقافة، فإني أميل إلى التركيز على عنصري الإنسان والثقافة، وفي ظني أن العنصرين الآخرين، أي الأرض والزمن، لم يعودا في زمننا الحاضر بنفس الدرجة من الأهمية التي كانت لهما في منتصف القرن الماضي حين طرح مالك هذه الفكرة. تقليلنا من أهميتها يرجع أساساً إلى التطور العلمي الهائل الذي جعل عامل الوقت مختلفاً جداً عما كان عليه يومذاك. كما أن عنصر الأرض أصبح أقل أهمية بسبب التطور الهائل في وسائل الاتصال

والميل المتزايد لعولمة الثقافة والاقتصاد في أيامنا الحاضرة. ولو إن مالك بن نبي كان حياً اليوم فلربما أعاد النظر في تلك الصيغة على النحو الذي قلناه. وأياً كان الأمر، فإن التركيز على عنصري الإنسان والثقافة يشكل بداية قوية لو أردنا المشي في طريق النهضة.

قال لي صاحبي: لعل من الأفضل التوسع في تعريف عنصري الأرض والزمن بدل إهمالهما، إن إعادة التعريف سوف تجعل فكرة النهضة التي اقترحها مالك قابلة للاشتغال حتى مع تغير الظروف. في الحقيقة فإن دور الثقافة كأداة لربط العناصر الثلاثة الأخرى هو الذي يجعل إعادة التعريف فعالة. في هذا الإطار فسوف نفهم عنصر الإنسان في معادلة النهضة باعتباره محور السعي نحو المدنية. أي إن المدنية التي تستحق العناء هي تلك التي تقوم على كون ارتقاء الإنسان وسعادته وكماله هو الهدف الأسمى لكل عمل وكل منهج. الإنسان هو هدف النهضة وهو وسيلتها في الوقت عينه. أما الأرض - أو التراب حسب تعبير مالك بن نبي - فسوف نوسعها كي تشمل الموارد المادية الطبيعية أو المصنعة المتوفرة فعلياً أو القابلة للتوفير بواسطة الجهد البشري. وعلى نفس النسق فإن إعادة تعريف الزمن تتضمن صرفه إلى فكرة المعاصرة، ولهذا العنصر أهمية قصوى لأن الكثير من أجزاء ثقافتنا ورموزها سجينة لتاريخها القديم، فإذا تحدثنا عن حضارة، تذكرنا ما صنعه أجدادنا وإذا أردنا الحديث عن مجد الإسلام استعدنا أيامه الأولى. بكلمة أخرى فإننا نشعر بالغربة عن تاريخنا المعاصر ولهذا لا نمجده بل لا نقيم

له أي اعتبار أو قيمة تذكر. ولعل شعورنا بالعجز عن استثمار عصرنا هو السبب في تقديرنا المبالغ فيه للماضي والذي يصل غالباً إلى مرتبة التقديس. وهو على أي حال تاريخ انتهى ولا يمكن أن يعود لأن سنة الله في الأولين والآخرين قد جرت بان ما فات مات والفاني لا يعود.

أين الأسرة والتيجان والحلل	ناداهم هاتف من بعد دفنهم
من دونها تضرب الأستار والكلل	أين الوجوه التي كانت منعمة
تلك الوجوه عليها الدود يقتتل	فأفصح القبر عنهم حين ساءلهم
فأصبحوا بعد طول الأكل قد أكلوا	قد طال ما أكلوا دهراً وما شربوا

إن ما يصلح لنا اليوم هو ما يتناسب مع زماننا وما يستوعب نوعية الحياة التي نعيشها، سواء عرفها الأجداد أم جهلوها، أحبوها أو أبغضوها ﴿تِلْكَ أُمَّةٌ قَدْ خَلَتْ لَهَا مَا كَسَبَتْ وَلَكُم مَّا كَسَبْتُمْ وَلَا تُسْـَٔلُونَ عَمَّا كَانُوا يَعْمَلُونَ﴾، (البقرة 134). المعاصرة إذن هي إعادة التاريخ إلى مكانه الطبيعي كمصدر للعبرة والمعرفة لا كمثال أو نموذج للحياة الفاضلة. أما مثال الحياة ونموذجها الصالح فيجب أن يكون مناسباً للعصر قادراً على استيعاب حقائقه وتحدياته. المعاصرة تعني المشاركة الفاعلة في الثورة العلمية والتكنولوجية الهائلة التي غيرت صورة العالم. إن تخلّفنا عن الركب وقبولنا بالانجراف في تيار التاريخ، بل بالتحول إلى أسرى لهذا التاريخ، قد أبقانا مستهلكين لما ينتجه الآخرون من ثمار التكنولوجيا والمعرفة. وقد كان حرياً بنا أن نشارك في ثورة المعرفة ونعيد إنتاجها في بلداننا بدل أن نبقى زبائن لغيرنا

من المنتجين. ويحق لنا هنا أن نستذكر المثال الذي يضربه المرحوم مالك في باب المقارنة بين سلوكنا وسلوك اليابانيين في علاقتهم مع الغرب، فهؤلاء ذهبوا إلى الغرب كما يذهب طالب يسعى للتعلم حتى إذا امتلك ناصية العلم استغنى عن معلمه، أما نحن فقد رحنا إليه رواح الزبون، يشترى السلعة جاهزة المرة بعد المرة، دون أن يتعلم كيف ينتجها بنفسه فيبقى أسيراً لمبدع السلعة وصانعها إلى أن يشاء الله.

وعطفاً على عنصر الثقافة، فإن من الواجب هنا الإشارة إلى حاجتنا الماسة لأنسنة ثقافة المسلمين، بمعنى إعادة الاعتبار إلى الإنسان كوعاء للقيمة العليا في هذا الكون. ونقول هذا بالنظر إلى ما نراه من إهمال للإنسان في ثقافتنا. إنني ممن يزعم بأن فكرة الفردانية، أي تمجيد الفرد واعتباره مستقلاً مكتفياً راشداً، التي سادت في الغرب منذ بدايات عهد النهضة الأوروبية، ولا سيما منذ انتشار نظرية توماس هوبز في العقد الاجتماعي[1]. هذه الفكرة ذات أصل مكين في الثقافة الإسلامية، ولو نظرنا إلى آيات القرآن التي ذكر فيها "الإنسان" لوجدنا فيها جميع السمات التي عرضها هوبز ومن سار على نهجه من الفلاسفة الليبراليين اللاحقين. إنسان القرآن الكريم كائن مستقل بنفسه، مكتف بعقله، مسؤول عن فعله، مكرّم من قبل الله بسجود الملائكة له وتسخير ما أودعه الله في الكون من أجل رفعته، وهو في نهاية

---

(1) حول مفهوم الفردانية Individualism في الفلسفة الليبرالية، أنظر
Geise, J. P., “In Defence of Liberalism”, *The Western Political Quarterly*, vol. 44, no. 3 (Sep., 1991) 583-604, p. 593.

المطاف خليفة الله في أرضه[1]. أما "إنسان" التراث الإسلامي فهو ضعيف مغرور جاهل وعاجز عن تحمل المسؤولية. إني أزعم هنا أن صورة "الإنسان الفرد" في التراث الإسلامي قد انحرفت عن صورته القرآنية واستعارت بدلاً عنها صورة الإنسان التي تطورت في الفكر اليوناني والفارسي القديم الذي يمجد السلطة ويمجد الطبقة العليا بما هي وعاء للنظام السياسي، لكنه يحتقر الفرد ويحتقر العامة، فلا ينظر إليهم إلا كغوغاء أو همج رعاع. وعلى أي حال فإن هذا موضوع طويل ولعلنا نعود إليه في وقت آخر. لكن ما يهمنا هنا هو الإشارة إلى أن ضمور قيمة الفرد في تراث المسلمين السابقين قد أورث ثقافتنا الحاضرة قلة اهتمام بالحريات الفردية وحقوق الإنسان. ولهذا تجدنا متساهلين إزاء قمع الحريات العامة ولا سيما حرية التفكير وحرية التعبير عن الأفكار، بل تجدنا ميالين - عن وعي أو غفلة - للقبول باستبداد الحاكم ظناً بأن الحاكم القوي خير من الحاكم الضعيف أو صرفاً لفكرة القوة إلى الاستبداد.

وخلاصة ما نقول هنا إن النهضة مستحيلة ما لم يكن محورها الارتقاء بالإنسان، ووسيلتها تفجير وتطوير قدراته وإمكاناته. لقد جربت أقطارنا كلها تقريباً مجاراة الأمم المتقدمة على الصعيد المادي والاقتصادي، فآلت كل تلك الجهود - بعد

---

(1) أنظر تفسير آيات الخلافة في الطباطبائي: الميزان في تفسير القرآن، (بيروت 1997)، دار التعارف للمطبوعات، ج.1، ص. 116.
أيضاً: الشيرازي، صدر المتألهين محمد بن إبراهيم: تفسير القرآن الكريم (قم 8719)، ج. 2، ص. 299.

سنوات طويلة - إلى الفشل. لا لشيء إلا لأنها اتبعت سبيل الفرض من الأعلى أو "التحديث والتنمية من فوق" كما عبر عنها باحث أمريكي معاصر[1]. يظن أصحاب هذا السبيل أنهم قادرون على قيادة نهضة علمية وصناعية من دون تحرر الإنسان وتأمين حقوقه. وقد ثبت بالتجربة المكررة فساد هذا السبيل وعبثيته. لقد تطور الغرب لأن إنسانه أنعتق من سطوة السلطة ومن قمع المجتمع ومن سجن الخرافة. ومع انعتاقه، انطلق عقله وساح فكره في الآفاق، فأعاد إنتاج القليل من العلوم التي كانت بين يديه وطورها وحولها من عالم صغير إلى عالم هائل الاتساع لا حدود له.

من هنا نعيد صياغة الفكرة التي اقترحها المرحوم مالك بن نبي، فنقول إن النهوض الحضاري يقوم على ثلاثة أركان رابعها الثقافة. ولا بد أن نبدأ بالثقافة الصالحة لأنها هي الدليل إلى جعل العناصر الأخرى فعالة ومترابطة. بناء على هذا التصور فإن إصلاح الثقافة يستهدف أولاً: الارتفاع بقيمة الإنسان، وتحريره من سطوة السلطة وقمع المجتمع وقيود الخرافة والتقاليد، وهذا مفهوم الآية المباركة التي تعتبر انعتاق الإنسان واحداً من ابرز أهداف الرسالة السماوية ﴿وَيَضَعُ عَنْهُمْ إِصْرَهُمْ وَالْأَغْلَالَ الَّتِي كَانَتْ عَلَيْهِمْ﴾، (الأعراف 157). وثانياً: فإن النهضة تعنى المعاصرة أي إعادة الاعتبار إلى الواقع الحاضر باعتبار شروطه

(1) أنظر: Bill, James, "Modernization and Reform from above: The Case of Iran", *The Journal of Politics*, vol. 32, , issue 1 (Feb., 1970), pp.19 – 40.

والـــزاماته معـــياراً لسلامة الأفكار والأعمال. وهذا بديل عن الانغمـــاس في التاريخ واعتباره مصدر القيمة والمثال. وثالثاً: فإن النهضة ليست مجرد تطور في المنظورات الفكرية. إن جوهرها هو الاســـتثمار الأمثل للموارد المادية وغير المادية المتوفرة أو القابلة للتوفير من أجل رفع مستوى المعيشة ورفع مستوى التقنية وبالتالي تـــأمين الحاجات الحيوية للإنسان. إن غرض النهضة الأولي ليس هدايـــة الإنـــسان إلى طريق الكمال كما جادل بعض المفكرين المعاصـــرين، بل تأمين العيش الكريم والقوة المادية والعلمية التي تسمح للفرد والمجتمع بتفجير قابلياته وتطوير قدراته حتى يضمن حـــياة حرة مستقلة ومتطورة. فإذا أصبح حراً مختاراً متعلماً آمناً آمـــلاً في المـــستقبل، فإنه سوف يجتهد في نيل شروط الكمال بنفسه. بهذا المعنى فإن تعريفنا يتطابق مع مفهوم التنمية الذي أقره بـــرنامج الأمـــم المتحدة للتنمية الإنسانية، والذي يصف غرض التنمـــية بأنه خلق البيئة الاجتماعية التي تتيح للمواطنين خيارات أوســـع، وبكلمة أخرى إزالة المعوقات المادية والثقافية التي تعيق المبادرة الفردية وتعطل الجماعة عن النهوض[1].

---

(1) United Nations & IRI Plan and Budget Org., *Human Development Report of the Islamic Republic of Iran, 1992*, p. 132.

الفصل الثالث

البداية: نقد الذات

قلت لصاحبي: كي نصل إلى الهدف الصحيح فعلينا اختيار البداية الصحيحة، البداية الصحيحة بالنسبة إلى موضوعنا هي توجيه أصابع الاتهام إلى الذات وما فيها. وهذا يعني أن نتوقف قليلاً عن الافتخار الفارغ بما ورثناه. فالذي يستحق الفخر هو شيء تصنعه بجهدك، أما الذي ورثته فهو جهد الآخرين ولو كانوا آباءك. ثم إننا بحاجة إلى النظر في الفوارق بين حياتنا وحياة غيرنا الذين تقدموا علينا والمقارنة بين الأسباب التي قادتهم إلى ما وصلوا إليه وتلك التي أقعدتنا. نريد من هذه المقارنة كشف عيوبنا أمام أعيننا، عيوب ثقافتنا وعيوب تصوراتنا وعيوب حياتنا، فلعل هذا الكشف يمنحنا البصيرة كي نرى ما يختفي وراء جدر الوهم السميكة التي أعمت أبصارنا عن رؤية الحقائق. ولعله ينفخ فينا شيئاً من الشجاعة التي نحتاجها كي نتجاوز الكثير من الزيف الذي سبق أن منحناه قداسة مصطنعة، أقعدت عقولنا عن النظر الجريء والجاد في حقائق الأمور. إن الخطوة الأولى لعلاج واقعنا البائس، هي اكتشاف ما تحت بنيانه من مفاهيم وقيم ومتبنيات، والنظر فيها دون قرار مسبق بكونها معصومة أو محرمة على التناول النقدي.

في مـــرحلة معينة، بالغ قومنا في تحسين ما عندنا وتقبيح ما عـــند الآخرين. وتشكل بسبب هذا النوع من التثقيف ما يشبه السور أقمناه في ذلك الظرف لصد غزو الخارج. لكنه تحوّل بعد انقشاع غبار الغزو إلى جدار عال يفصلنا عما وراءنا من العوالم، فأصـــبحنا مـــثل قبيلة منعزلة تتحصن في قلعة عالية الجدر مغلقة الأبـــواب، تـــشغل أعضاءها أمور الحياة داخل جدرانها عن تيار الحـــياة العظيم في الخارج. لقد انشغلنا بأنفسنا وبصغائر أمورنا، عـــن عوالم عظيمة الاتساع، سريعة التغيّر وراء أسوارنا العالية. حينما تغلق الباب على نفسك، فقد يخيل إليك أن العالم مكثّف بـــين جـــدران هذا البيت، وأنه ليس من وراء هذا الجدار دار. سوف تبقى موقناً أن هذا البيت هو خلاصة العالم، إلى أن تخرج مـــنه، فإذا خرجت فسوف ترى عوالم أرحب وأوسع، وسترى بيوتاً أجمل. عندما تفتح عينيك وعقلك، ستظهر لك الفوارق بين دارك ودار الآخرين. ستكون قادراً يومذاك على اكتشاف عناصر القـــوة وعناصـــر الـــضعف في دارك، فالحـــسن والقبح، القوة والضعف، قضايا نسبية. لا يستطيع العقل إدراك جمال الشيء ما لم يرى نظيره القبيح أو الأقل جمالاً، كما لا يستطيع تقدير مدى القـــبح إلا إذا رأى تجسيدات الجمال. نحن لا نعرف أنفسنا حق المعـــرفة لأننا لا نقارنها بغيرها الأرقى، ولو فعلنا فلربما اكتشفنا بعض عناصر قوة كانت خافية وبعض عناصر ضعف تستوجب العلاج.

والحق إن معظم المسلمين - كما ذكر المرحوم الغزالي - لا يعرفون أنفسهم، أي لا يعرفون حقيقة ما فيها من عناصر

قوة ومن عناصر ضعف، فهم بين متضائل منكمش على ذاته لا يـــرى إلا نواقصها، وبين منتفخ يكاد من غروره بالأوهام أن يطير.

وقد ساعدني تذكّر هذه الفكرة الجميلة للمرحوم - وأفكار الغزالي كلها جميلة - على استرجاع ما سبق أن قرأته أو سمعته مما يـــتعلق بمعـــرفة النفس، منها على سبيل المثال رأي الأستاذ هاني فحـــص، الذي أجاب مرة على سؤال حول المسافة بين الذات والآخـــر، قائلاً (لا أرى ذاتي إلا في حواري مع الغير، فالذات تتجلى وتشرق في الآخر). فعناصر ضعف الإنسان وعناصر قوته، لا تتجلـــى ولا تظهر إلا حين يضع نفسه على طاولة المقارنة مع الغـــير. وكمـــا الإنسان الفرد فكذلك المجتمع، والثقافة والمعرفة والمال. وأذكر للمناسبة أنني زرت قبل سنوات، قرية في أقاصي الريف العربي، فأخذني مضيفي إلى شيخ القرية، فوجدت شاباً في الـــثلاثين من العمر، يضوع من أعطافه عطر رخيص، جالساً في مرتفع من المجلس، منتفخاً يتكلم كما لو كان نابليون بونابرت أو الاســـكندر ذو القرنين، سريع الغضب، يصطنع اللطف، ويتعمد الـــتأني في إخـــراج الكلمـــات كي يختار من الألفاظ أفخمها وأعظمهـــا، فيخـــرج كلامـــه بارداً باهت الملامح، خالياً من الروحانية والحرارة التي اعتدت ملاحظتها في حديث كبار القوم، مثل ممثل مبتدئ يحاول إتقان البروفات قبل أن يصعد على خشبة المسرح. سألت مضيفي عن سر هذه العظمة المصطنعة، فأجابني إنـــه أغـــنى سكان القرية. وظننت الأمر يتعلق بواحد من أحفاد روتـــشيلد لا يعـــرفه الناس، فإذا بالثروة التي يتحدثون عنها، لا

تتجاوز سيارة تاكسي، وقطعة أرض مؤجرة بما يعادل راتب مدير مدرسة في ذلك الزمان. لكن الأمور نسبية، فهو بالقياس إلى بقية السكان البائسين، فائق الثراء، وبيته البسيط بمقاييس المدينة، يعتبر إلى جانب أكواخ المساكين التي تحيط به، قصراً أين منه قصر بكنغهام أو اللوفر. قلت لنفسي إن هذا الرجل استغنى بالنظر في نفسه عن مقارنتها بالغير، أو لعله قارن نفسه بمن هو دونه مالاً وجاهاً، ولم يقارنها بمن هو أغنى، ولو فعل لاستراح من عبء التصنع والتمثيل.

قال لي صاحبي: إن قومنا يزعمون بأن معرفة النفس لا تتوقف على مقارنتها بالغير، فثمة معايير تبانى عليها العقلاء، أو وجدناها في تراث الأسلاف، تصلح للعمل كأدوات نقد ومعايير تقييم.

قلت لصاحبي إن المقارنة بالأشباه والنظائر هي الوسيلة التي تبانى عليها عقلاء العالم لاكتشاف محاسن الأشياء وعيوبها، وقديماً قالت العرب (وبضدها تتميز الأشياء). وتتجلى أهمية المقارنة بصورة أكبر إذا أخذنا بعين الاعتبار أن الخطاب موجه لجمهور الناس وليس الخاصة أو أهل العلم فيهم، والعامة - كما تعلم - يستوعبون الأشياء والأفكار إذا تجسدت أمامهم وصدمت أعينهم وتصوراتهم.

وفي ظني إن ما يخشاه القلقون من التواصل مع ثقافة العالم، هو فاعلية هذا التواصل في إثارة الشكوك في الذي نملكه من المعرفة، وهذا محتمل على أي حال. لكن هل يمكن لنا أن نتطور من دون الشك في ما هو قائم ومتعارف عليه، بل هل يمكن

تطويــر هــذا القائم دون أن نبدأ بالشك في جدواه، أو - على الأقل - في كماله؟

قــد يبدو هذا السؤال ساذجاً وقد يراه بعض الناس خبيثاً، لكــن الجواب على أي حال، واحد في الحالين، فإحداث تطوير في أي شــيء، مادي أو فكري، لا يبدأ قبل أن تستقر في الذهن قــناعة فحواها أن هناك فرصة للارتقاء به إلى ما هو أحسن من وضــعه الــراهن. ولا نحــتاج إلى عرض أدلة على بديهية هذا الموضــوع، فيوميات الإنسان مليئة بالشواهد والأمثلة على كونه مــن المسلمات العقلية التي لا يختلف عليها اثنان. بل هو في ظني من معاني الإيمان بالغيب، الذي يعتبر ركناً أولياً للإيمان الديني في الإســلام وجمــيع الرسالات السماوية. فالإيمان بالغيب يساوي الــيقين بــأن وراء الواقع المحسوس والمشاهد، واقعاً آخر أفضل وأكمــل، وهــو ما يدفع الإنسان إلى البحث فيما وراء حواجز المحسوس لكشف المغيب وراء حدود الإحساس.

لكننا مع ذلك نواجه من يرفض إثارة الأسئلة، ويعلل رفضه بكونها مثيرة للفتنة والريب، بعض الذين يرفضون، ينطلقون من قاعــدة يمكن قبولها - ولو على مضض - أما البعض الآخر فلا يمكن قبول مبرراته بأي حال. الصنف الأول يبرر رفضه للأسئلة، بالخوف من أن تؤدي إلى زعزعة المسلمات البسيطة، التي ينطوي علــيها الإنسان العادي، وكان أحد أساتذتي يدعو الله دائما أن يمنحه يقين العجائز، ولما سألته يوماً عن هذا اليقين الذي يبحث عنه، قال إنه التسليم الكامل، الذي لا يشتغل فيه العقل، فهو في حصن من التزعزع والضعف.

قال لي صاحبي: الرافضون للانفتاح على الثقافات الأجنبية، يبررون موقفهم بأن هذا الانفتاح غير مفيد لسوى طبقة محددة من الناس، هي الطبقة القادرة على استيعاب المفيد من تلك الثقافات دون الانبهار بكل ما فيها. أما الفريق الآخر فيؤسس رفضه لإثارة الأسئلة على قاعدة أن ما نحتاجه من إجابات موجود في ثقافتنا، وإذا لم تكن واضحة أمام أعيننا فينبغي لنا أن نسعى في البحث عنها.

قلت لصاحبي: لقد أشرنا فيما سبق إلى أن التبريرات المعروضة قابلة للتفهم، مع أنها تبدو ضعيفة جداً، فالمسلمات القابلة للانهيار عندما تعرض على نظائرها في الثقافات الأخرى، هي أقل شأناً من أن يتمسك بها الناس. ولو كانت ضرورية لكانت متماسكة، وقادرة على مقاومة احتمالات التهشيم أو الإزاحة. والحقيقة أن عقولنا تختزن كما هائلاً من هذا النوع من المسلمات النظرية، التي تبدو لنا جزء لا ينفك عن شخصيتنا الخاصة ومعتقداتنا، لكنها - في حقيقة الأمر - من نوع الزبد الذي يحتمله تيار الماء، وهو يهبط من أعلى النهر إلى أدناه، مثل هذا الزبد سرعان ما يتصاغر وينكمش مع أول ريح، فيذهب جفاء، وأما ما ينفع الناس فيمكث في الأرض.

ومثل ذلك يقال عن التبرير الثاني الذي أظنه مفتقراً إلى ابسط بديهيات المنطق، إذ لا يمكن افتراض وجود أجوبة قبل أن يثار السؤال، اللهم إلا أن يقال أن جميع الأسئلة المطروحة اليوم، هي تكرار لأسئلة طرحت في الماضي. لكن هل يمكن افتراض أن أسئلة المستقبل، أي أسئلة اليوم الآتي والذي بعده والأيام التالية،

ستكون على نفس المنوال؟ هذا مستحيل بطبيعة الحال، فالسؤال هو خلاصة لحاجة ذات طبيعة زمنية (تاريخية) فإذا طرح وأجيب، فمن المستبعد جداً أن يعاد طرحه من جديد، إلا أن يكون الجواب الأول ناقصاً أو مشكوكا في صحته، أو إن سلامة الجواب مرهونة بظرفه الخاص. إن حديثنا حول الحاجة إلى الانفتاح على الثقافات الأخرى، صادر عن حاجة سابقة افترضناها أولاً، وهي أن هذا الاتصال سوف يساعد على إثارة الأسئلة حول ما عندنا وما نتبناه، وسوف يكشف لنا بالتالي عن نقاط القوة ونقاط الضعف فيه.

ولسوء الحظ فإن الكثير من المشتغلين بالثقافة، ومنهم كتاب وأصحاب رأي، اتخذوا قراراً بأن كل سؤال يطرح اليوم، فهو صورة مكررة عما طرح في الماضي، ولهذا فهم لا يفعلون شيئاً غير إحالة القارئ أو المتلقي إلى جواب الأمس، وظهر لي من خلال متابعة الصحافة، أن هذا المنهج له رواد كثيرون خطباء وكتاب وقراء، وثمة منابر وصحف تتفنن في معالجة قضايا اليوم من خلال مفردات وتجارب الماضي، بما يؤدي إلى اقتلاع القضايا المعاصرة من شروطها الاجتماعية، وإلصاقها عنوة بما تحفظه الذاكرة من تصورات عن الماضي، بغض النظر عن كون هذه التصورات كاملة أو ناقصة، شاملة أو انتقائية.

إن سؤال اليوم هو ابن هذا اليوم، وهو نتاج حقيقي لشروط هذا اليوم، ولو كان شبيهاً لسؤال الأمس، لما أثير أصلاً ولما لفت الانتباه، ثم إن سر التطور يكمن في تغيّر الأسئلة، بينما يعكس ثباتها، جموداً في الأذهان والواقع، لا يستحق أن يتمسك به أو أن يراعى.

أخيراً فإنه لا يمكن معرفة عيوب النفس وفضائلها، إلا برؤية الآخرين. فالفضائل الأخلاقية، مثل الكفاءات الذهنية والعملية، تبدو لصاحبها في غاية الكمال، حتى يرى ما هو أكمل منها عند غـيره، فمن خلال المقارنة واكتشاف الأرقى، تتولد الحاجة إلى استكمال النقص وعلاج العيب. ولو لم يخضع الإنسان ما عنده مـن صفات وكفاءات للمقارنة مع نظائرها عند غيره، لما شعر بالـنقص ولما تولدت في نفسه الرغبة للسعي نحو الكمال. ولعل مـن الموارد التي اتفق عليها جميع البشر هو القول بأنه لا يوجد إنـسان إلا وعنده شيء من النقص، في علمه أو في صفاته أو في ملكاته. هذا النقص قد يكون تعبيراً عن قصور ذاتي، وقد يكون انعكاساً لعيب في الثقافة التي أعطته شخصيته الخاصة.

لقـد أصـبحنا اليوم قادرين على فهم أمور في شريعتنا لم يـستوعبها الـذين سبقونا من أهل الشريعة. وأظهرت أبحاث أصدرتها "هيئة الإعجاز العلمي في القرآن" أن كثيراً من كشوف العلم الحديث، في مجال الطبيعة والتشريح خاصة، تتطابق مع مفاد آيـات من القرآن، فهمها السابقون بغير ما نفهمها اليوم. لقد سـاعدتنا العلوم التي تطورت في الإطار المعرفي الغربي، على فهم أفضل لمصدر شريعتنا، وربما بقينا أبعد عن سبر أغوار هذا البحر العظيم الذي أنـزله الله على نبينا، لو لم ترس قواربنا في موانئ الآخرين باحثة عما عندهم من فوائد.

إضـافة إلى ذلك فإننا نواجه مشكلة أخرى هي افتقارنا إلى مـناهج للـبحث والـنقد. البحث في التجربة التاريخية للأمة الإسـلامية ضـروري ومفيد جداً إذا أردنا إغناء حياتنا الثقافية

المعاصرة. لكن كيف يمكن لنا أن نستفيد من هذا التراث العظيم ونحن نفتقر إلى الوسائل المنهجية التي يحتاجها الباحث. لو كانت هذه الوسائل موجودة لما تحوّل البحث في التراث إلى مشكلة بين الباحثين. إن فقدها هو الذي يجعلنا ننظر إلى تراثنا كما ينظر الإنسان إلى كنز في صندوق من الزجاج محكم الإقفال. لا مفر من الاستعانة بالأدوات العلمية للبحث، بغض النظر عن البيئة المعرفية والحضارية التي تطورت تلك الأدوات في وسطها، وإلا فإن ذلك التراث سيبقى بلا فائدة. ونشير هنا إلى أن بعضاً من أبرز النصوص العلمية والفلسفية التي تركها أجدادنا، لم تكن لتنال اهتمامنا لولا سبق الغرب إلى تسليط الأضواء عليها. وعلى سبيل المثال، فلولا التفات علماء الاجتماع والتاريخ الغربيين إلى مقدمة ابن خلدون فلربما لم نعرف قيمتها، ولولا أن بعض بني قومنا درس علوم الطب والرياضيات في الغرب لما اكتشفنا قيمة العلوم التي ساهم أجدادنا في ابتكارها أو تطويرها.

ما يجب أن نخشاه حقيقة ليس تشكك أبنائنا في دينهم، فهذا مستبعد وإذا حدث فهو قابل للعلاج، وعلى أي حال فإن حدوثه بصورة فردية لن يكون شديد الخطر. لكن تخلّفنا الشامل على المستوى العلمي والتقني والاقتصادي والاجتماعي، هو العلة الكبرى التي ما فوقها علة، لأنها تجعل ديننا من دون فاعلية، وتجعل إنساننا أسيراً للطغيان والفقر والجهل، وتجعل أمتنا ككل فريسة لأطماع الضعفاء والأقوياء. فلا شك أن علة التخلف - المنتشرة فعلاً في جسد أمتنا - أخطر وأشد أثراً من تشكك ربما يعتمل في نفس واحد أو اثنين أو عدد محدود ممن ثارت الأسئلة

في ذهنه ولم يجد جواباً. إن تخلّف المجتمع وضعف الأمة هو العامل الأول وراء ضعف أعضائها وانكسارهم حين يواجهون الغير، وقوتها هي العامل الأقوى وراء صمود شخصياتهم وصلابتها إزاء التحديات. وما دمنا ضعفاء متخلفين فإن تساقط إخوتنا أو انهيارهم يبقى احتمالاً دائماً كالمرض المزمن. وعلاج هذه العلة ليست بالحذر من التعرض للرياح، بل باستعادة الجسم المريض لنظام مناعته، أي عودته إلى الحياة الطبيعية سليما معافى.

لعل أبرز ما نستفيده من التواصل مع المدنية المعاصرة وتيارات المعرفة التي تموج فيها، هو تقييم كفاءتنا الثقافية، وتقييم كفاءة ثقافتنا ذاتها. حين تكون ثقافتك بسيطة متخلفة فإنها لا تعينك حتى على صياغة الأسئلة الصحيحة فضلاً عن معرفة أجوبتها. نحن بحاجة أولاً إلى إثارة الأسئلة حول أنفسنا وحول الغير من اجل أن تتحرك عقولنا الراكدة. لعل أكبر مشاكلنا الثقافية هي الركون إلى الدعة الذهنية، ومهادنة الذات، والظن بأن ما نملكه من الأجوبة يكفي للرد على كل ما هو مثار من الأسئلة. فهذا الركون يوهمنا بلا جدوائية التغيير، وهو يزيد من رهن عقولنا لقضايا اليوم وحاجاته، ويحجب عنا احتمالات الغد وتحدياته.

قال لي صاحبي: إن الانفتاح على العالم أوسع من هذه القضية المحددة. فسواء كنا متخلفين أو لم نكن، فإن منطق الأمور يقضي بأن يتعارف الناس ويتعاونوا على الارتقاء بمستوى الحياة الإنسانية. نحن نعيش فوق كوكب واحد مثل ركاب سفينة. ولا بد لنا من التعارف والتعاون على أي حال، يقول الحق سبحانه

﴿يَٰٓأَيُّهَا ٱلنَّاسُ إِنَّا خَلَقۡنَٰكُم مِّن ذَكَرٖ وَأُنثَىٰ وَجَعَلۡنَٰكُمۡ شُعُوبٗا وَقَبَآئِلَ لِتَعَارَفُوٓاْۚ﴾، (الحجــرات 13). ومن أغرب الأمور إن الأمم الغربية تطبّق هذا المفهــوم علــى وجــه أفضل وأكمل مما نفعل، وأشير هنا إلى مستويين مهمين: المستوى الأول هو اجتهادهم الكثير في معرفة العالم. إن ما نعرفه اليوم عن بقاع العالم هو ثمرة للسعي الذي قام بــه الغــربيون لاكتشاف الأرض والتعرف على عادات الأمم وثقافاتهــا. إن السعي للفهم والتعارف في هذا العصر هو تقليد ينــسب الفــضل فيه إلى الغرب دون غيره. والمستوى الثاني هو الجهــد الذي يبذلونه لحماية الحياة البشرية، وأشير هنا إلى مثال واحــد فقــط هو معاهدة كيوتو، وهي اتفاق دولي يستهدف تخفــيض مــستوى التلوث البيئي المؤدي إلى الاحتباس الحراري وتغــيير المناخ العالمي[1]. هذه المعاهدة ما كانت لتتم لولا جهود أهل الفكر والسياسة وحماة البيئة في العالم الغربي، وهي تشكل - دون أدنى شــك - دليلاً على شعور عال بالمسؤولية عن مصير الإنسانية والكوكب الذي تعيش فيه، بغض النظر عن أديانهم أو ثقافاتهم أو مواقفهم السياسية. ومثل ذلك سعيهم الدؤوب لنشر فكرة حقوق الإنسان في العالم كله، ونعرف مثلاً أن نظام الرق، أي استعباد البشر، ولا سيما كونه نظاما محمياً بالقانون، لم ينته في العالم الإسلامي إلا بضغط الغربيين في منتصف الستينات من القرن المنصرم.

---

(1) أنظــر نــص بــروتوكول كيوتو (1998) الملحق باتفاقية الأمم المتحدة الإطارية بشأن تغيير المناخ، في موقع الأمم المتحدة:
www.un.org/arabic/largerfreedom/KyotoProtocol.pdf.

قلت لصاحبي: إن العلاقة بين المسلمين وغيرهم - ولا سيما الأمم الغربية - ليست خياراً نقرر المضي فيه أو تركه جانباً، فطبيعة الحياة في هذا العصر، لا تسمح لأمة من الأمم أن تعتزل العالم. ولو حاولت فهي ستجني على نفسها وأبنائها[1].

ولدينا من التجارب الواقعية القريبة زمنياً، ما يبرهن على عبثية السعي إلى العزلة، وبينها على سبيل المثال تجربة الدول الشيوعية، التي كافحت حكوماتها بعد الحرب العالمية الثانية حتى أواخر الثمانينات، لإبقاء شعوبها معزولة عن المجتمعات الغربية، بحجة كون هذه المجتمعات معادية لنهجها أو لحاجتها إلى التفرغ لبناء مجتمعها وفق منهجها الخاص كما قالت. فلما قويت الرياح وراء الستار الحديدي، وإذا بتلك الدول تنهار الواحدة بعد الأخرى، مثل بيت من الكرتون تعصف فيه الريح. ومن مفارقات القدر أن انهيار المعسكر الشرقي قد بدأ في بولندا، التي كان يوصف نظامها بأنه من الأنظمة المكينة، لكنه سقط على يد نقابة للعمال الفقراء يرأسها عامل كهرباء في مصنع للسفن[2]. وإذا نظرت اليوم إلى أكثر الأنظمة في العالم انغلاقاً، أي كوريا الشمالية التي يحكمها

---

(1) د. السيد محمد الشاهد: رحلة الفكر الإسلامي من التأثر إلى التأزم (بيروت 1994)، دار المنتخب العربي، ص. 61.

(2) بدأ الصراع بين الحكومة الشيوعية وعمال بناء السفن بإضراب في حوض غدانسك عام 1980 حيث تأسست نقابة (التضامن) كممثل للعمال مستقل عن اتحاد العمال التابع للحزب الشيوعي وواصلت تضامن نضالها وتحولت إلى حزب سياسي وفازت بأغلبية مقاعد البرلمان في أول انتخابات حرة عام 1989 وفي العام التالي 1990 كسب رئيسها ليخ فاليسا الانتخابات الرئاسية وأصبح أول رئيس غير شيوعي لبولندا بعد الحرب العالمية الثانية.

هي الأخرى حزب شيوعي فسوف تجدها من أكثر الدول فقراً، وأن شـعبها من أكثر شعوب العالم غربة عما يموج به العالم من تطورات في كل صعيد. إن مقارنة بين شمال كوريا الذي يتهدد أهله الجوع، وبين جنوبها الذي تغزو منتجاته شرق العالم وغربه، تـدل بمـا لا يتـرك مجالاً للشك أن انغلاق الأول وخضوعه للاسـتبداد، وانفتاح الثاني وأخذه بالديمقراطية والحريات العامة، هو السر في فقر ذاك وازدهار هذا. وحاصل القول أن الكلام عن اعتـزال العـالم، وعدم الحاجة إلى العلاقة به، عبث لا يستحق إطناب الحديث.

قـال لي صاحبـي: إن قومنا المبغضين للغرب لا يقولون باعتـزاله رغبة في العزلة، بل خوفاً مما تنطوي عليه ثقافة الغرب ونمـوذج حياته من فساد والحاد. وهم يرون في الذي عندنا من ثقافة الإسلام كفاية وغنى عما في أيدي الغير.

قلـت لصاحبـي: ربما كان ذلك صحيحاً على المستوى النظـري، لكـنه - في واقـع الأمر - مجرد تبرير للخوف من الانفـتاح. وقـد أسلفنا القول بأن ثقافة المجتمعات المسلمة فيها ظـلال من الإسلام، لكنها احتملت فوق هذا، كثيراً من الزبد أخفى رائق الماء. إن الإسلام معطل عن الفعل في حياة المسلمين، لأن فاعليـته رهينة بإرادة أهله، وإرادة أهله معطلة، لأن ثقافتهم تعطيلـية. حياة المسلمين أشبه بمستنقع كبير آسن، يأتيه قليل من ماء النبع الصافي، وتأتيه مياه شتى، بعضها رائق وكثير منها كدر، لكـن تيار الماء يتمزق شيئاً فشيئاً، ثم يغور تحت الأكدار الكثيرة الـتي تطفو على سطح المستنقع. فالمشكلة كما ترى ليست في

الإسلام، بل في الوعاء الذي يحمله، أعني أهله. وهؤلاء لا شيء فيهم يختلف عن غيرهم من الناحية البيولوجية، وإنما تخلفوا عن غيرهم، حين تراخت فيهم روح الجهاد، جهاد النفس وجهاد العقل، وتوقفت ثقافتهم عن التجدد، فتخلفت عن مسايرة زمانها وحاجاته، فأصبحت تقعد بهم يوم يدعون إلى القيام، وتوهن عزمهم حين يحتاجون إلى العزيمة. بينما أخذ غيرهم بالسنن التي وضعها الله في كونه، وجعل الالتزام بها والانسجام مع قوانينها مدعاة للعلو، والإعراض عنها سبباً في الانتكاس، قال سبحانه ﴿كُلًّا نُّمِدُّ هَٰٓؤُلَآءِ وَهَٰٓؤُلَآءِ مِنْ عَطَآءِ رَبِّكَۚ وَمَا كَانَ عَطَآءُ رَبِّكَ مَحْظُورًا﴾، (الإسراء 20) وقال ﴿لَّيْسَ بِأَمَانِيِّكُمْ وَلَآ أَمَانِيِّ أَهْلِ ٱلْكِتَٰبِۗ مَن يَعْمَلْ سُوٓءًا يُجْزَ بِهِۦ﴾، (النساء 123).

في اعتقادي إننا لا نستطيع التخلص من هذه الثقافة التعطيلية إلا إذا قررنا التخلص منها، أو على الأقل وضعها في مكانها الطبيعي، أي اعتبارها تعبيراً عن مرحلة تاريخية انتهت ولسنا ملزمين بالتقيد بها أو بمقولاتها أو بالقيم التي تولدت في إطارها. ولكي نصل إلى قرار من هذا النوع فإننا بحاجة إلى معرفة عينية للفارق الهائل بين نتاج هذه الثقافة ونتاج غيرها. وبالتالي وضعها على مائدة المقارنة مع ثقافات الآخرين الذين ضربوا أشواطاً طويلة في دروب الحضارة.

تجربة الانفتاح القديم

قال لي صاحبي: لقد تعرف المسلمون على الغرب منذ ما يزيد على قرن من الزمان. وبعض قومنا يقول إن ذلك الانفتاح

لم يأت بخير، فما الذي يضمن أن يأتي تكرار التجربة بأفضل مما جاءت به الأولى.

قلت لصاحبي: لقد حدث الانفتاح فعلاً ولا زال قائماً، لكنه بدل أن يوفر الفرصة لاكتشاف الذات وصياغتها من جديد، فقد تحوّل إلى محنة ألقت بكلكلها فوق أكتاف المجتمع المسلم المثقل أصلاً بالهموم والمحن.

والسر في هذا، إن الانفتاح العام الواسع لم يأت بمبادرة المسلمين ولا بوعيهم، بل جاء رغماً عنهم، وفي وقت كان وعيهم غائباً، ووجودهم مهدداً، ويأتيك تفصيل القول. لكني ابدأ بالإشارة إلى أهمية المبادرة والوعي في اقتناص ثمرات الانفتاح، فأذكر المرحوم السيد جمال الدين الأفغاني كمثل على رجل وعى الواقع الذي يعيش. وكان السر في وعيه المبكر هو تأملاته العميقة في الوضع الذي آلت إليه بلاد المسلمين يومئذ، ودور الأوروبيين في تعميق مأساة المسلمين وتخلفهم. زار جمال الدين أوروبا وأقام فيها ردحاً من الزمن واستوعب طبيعة العلاقة القائمة بينها وبين الأقطار الإسلامية، وفهم السر في تقدمها وتخلف المسلمين.

كانت الرسالة الأولى في دعوة جمال الدين إلى المسلمين، هي الوعي، والتحرر من عبودية الجهل وعبودية الطاغوت، يقول مثلاً إن الشرق (ما سقط عن رفيع منزلته، ولا استولى الفقر والفاقة على ساكنيه، ولا غلب الذل والاستكانة على عامريه، ولا تسلطت عليه الأجانب، ولا استعبدت أهله الأباعد، إلا

لإعراض الشرقيين عن الاستنارة بنور عقولهم)[1]. لقد اغفل الشرقيون علتهم وتناسوا أن دواءها عندهم (حتى أوشكوا أن لا يعرفوا أنفسهم، وما انطوت عليه من القوى المقدسة، والقدرة الكاملة والسلطة المطلقة على عالم الطبيعة، والعقل الفعال الذي تخضع لديه البسائط والمركبات، ويطيع أمره النافذ جميع المواليد من الحيوان والنبات) وهو يرجع هذا الحال إلى (امتداد زمن توغلهم في الخرافات التي تزيل البصيرة، وتستوجب المحو التام والذهول المستغرق، بل تستدعي التنزل إلى المرتبة الحيوانية [...إضافة إلى] طول مكث الشرقيين تحت نير استبداد المستبدين)[2]. لقد أثمر عن انفتاح جمال الدين الواعي على العالم، تأسيس تيار الوعي والتنوير في العالم الإسلامي، وهو تيار، وإن لم يحصل على الغلبة والسيادة، إلا إنه أصبح مرجع الواعين والمستنيرين، الذين لم يغمضوا عيونهم عن تخلف قومهم خوفاً من طرق المحرمات المصطنعة، ولا انسلخوا من جلودهم انبهاراً بتقدم الغرب، وها نحن اليوم نذكر جمال الدين وتلاميذه وتلاميذهم، باعتباره وإياهم رواد الإصلاح الديني والتحرر السياسي والتجديد الثقافي في عالم الإسلام.

بخلاف جمال الدين الذي حاول أن يفهم أسرار تقدم الأوروبيين، وما يقابلها من أسباب تأخر المسلمين، فإن النخب العليا من الفرس والترك والعرب التي زارت أوروبا واطلعت على

---

(1) علي شلش: سلسلة الأعمال المجهولة: جمال الدين الأفغاني، (لندن 1987) رياض الريس للنشر، ص. 93.

(2) علي شلش: المصدر، ص. 62.

حضاراتها في نفس ذلك الزمن، قد عجزت عن تجاوز المشهود من أشكال الحياة ومظاهرها إلى أسرارها وأسبابها. بل لعلنا لا نجاوز التحفظ إذا قلنا إنهم قد انبهروا بما شاهدوه من جماليات الحياة. فانشغلوا بها عما وراءها وما جاء بها من جهود عقلية وسياسية ومادية. ولهذا فحين فكروا في نقل التجربة، انصب اهتمامهم على شكلياتها الخارجية بدل أن يجهدوا أنفسهم في فهم الأسباب والأسرار والدوافع والمعايير، وكرروا بذلك قصة الزبون التي أشار إليها مالك بن نبي وذكرناها في صفحة سابقة.

ونعود إلى انفتاح العالم الإسلامي على الغرب، فنقول انه لم يحدث طوعا، فقد جاء على طريقين، أوسعهما محاولات النفوذ الأجنبي التي توجت بسيطرة الاستعمار مباشرة على معظم أقطار المسلمين، وسيطرته المقنعة على البقية. والطريق الآخر هو انفتاح الحكومات المسلمة التي أرادت تعزيز سلطانها بتحديث إداراتها وجيوشها، فأرسلت البعوث إلى العواصم الغربية واستقدمت المستشارين والخبراء الأجانب.

ولم يكن غرض الغرب من الاستعمار، إيقاظ المسلمين من نومهم. بل كانت مصلحته تقتضي العكس. كما لم يكن هم حكومات المسلمين نقل المعرفة إلى بلدانها من أجل أن تتقدم وتستغني عن الأجنبي، أو لنقل على سبيل التحفظ إن هذا الغرض لم يكن واضحاً أو العمل عليه مبرمجاً وجادا. بل كان هم الحكام الأكبر هو تكوين نخبة متعلمة تحسن إدارة الدولة كي تساعد على تمكين السلطان وإطالة أيامه. أما المجتمعات المسلمة التي كانت على هامش اهتمام حكوماتها، فقد شعرت بالقلق على

الذات والهوية، وخشيت عواقب التمكين للأجانب، فاستمسكت بعرى الرفض والمقاومة، في المستوى الايجابي حينا والسلبي في أكثر الأحيان، وحاولت قدر استطاعتها الذود عن حياضها[1]. فوجد المستعمرون أن لا سبيل لتمكين سيطرهم، غير تهميش الرابطة الروحية التي جمعت مختلف الأقوام، فأصبحوا - كما أشار غليون - أمة واحدة تتفاعل في محيطها الواسع، الثقافة العربية التي حملت الدين والنزعة الأدبية والاجتماعية، والفارسية ذات النزعة اللاهوتية الفلسفية الإشراقية، والثقافة اليونانية العقلية، والثقافات الهندية والتركية والعديد من الثقافات الصغيرة الأخرى[2].

كان غرض الاستعمار هو فصل الهوية الوطنية أو القومية لهذه الشعوب عن عمادها الثقافي، أي الدين[3]. وهكذا تكرس الإسلام كموضوع للصراع بين المسلمين والغرب المستعمر. فحفظ الله دينه ورد كيد الكافرين. لكن هذا الصراع غرس في النفوس شجرة الكراهية للغرب، فأمسى رمزاً للشيطان العصري. ونتج عن هذا أن أصبحت العلاقة مع الغرب ومقاربته في أي صورة غير الحرب، باعثة على الريب والقلق. وانسحب هذا التصنيف الرمزي على كل شيء يملكه الغرب، مفيداً كان أو ضاراً.

---

(1) فادي إسماعيل: الخطاب العربي المعاصر، (واشنطن 1990) المعهد العالمي للفكر الإسلامي، ص. 92.

(2) برهان غليون: نظام الطائفية، بيروت 1990)، المركز الثقافي العربي، ص. 133.

(3) د. بنسعيد العلوي: الوطنية والتحديثية في المغرب، (بيروت 1997) مركز دراسات الوحدة العربية، ص. 72.

ونمـــثل هنا بالفلسفة والعلوم الرياضية والطبيعية التي كانت فيما مضى درة التاج في الحضارة الإسلامية، فإذا بها اليوم مهملة بـــين المسلمين. والغريب في الأمر إن المسلمين جميعاً يتوقون إلى التعلم، وهم يرسلون أبناءهم إلى الجامعات في بلدانهم وفي بلدان الغرب للحصول على تلك المعارف. لكن جهودهم هذه لم تفلح في إعــادة إنتاج العلم في بلادهم. والسبب الواضح لهذه المفارقة يكمـــن في الهوة العميقة التي تفصل بين تلك العلوم وبين الإطار المعـــرفي الـــذي يراد إعادة إنتاجها فيه. إن قومنا يريدون تقدما علمياً من دون فلسفة للتقدم، ومن دون نظام علاقات اجتماعية يسند الحركة العلمية ومن دون حريات سياسية واجتماعية توفر للعالم والباحث فرصة التخيل والتفكير والنقد والتعبير. حتى وقت قـــريب كانـــت مجامـــع العلم الشرعي أو كثير منها تحرم قراءة الفلسفة أو تدريسها خوفاً مما فيها من مقولات يعتبرونها كفرية. والحق إن الفلسفة أم العلوم، وما تطور العلم في المجتمعات الغربية إلا بعـــد نهـــوض الفلـــسفة. الفلسفة هي طريق التفكير العلمي والتفكير العلمي هو طريق التطور. ومثل ذلك فقد جرت سيرة بعض العلماء في بعض الأقطار على تحريم دراسة الجغرافيا والفلك الحديث لأنها تخالف ما ورثوه من مقولات قديمة. وحرم بعضهم دراســـة اللغات الأجنبية كي لا تتخذ سبيلاً للتأثير على عقول ناشئة المسلمين. صحيح إن معظم هذه الاعتبارات والآراء لم تعد متـــبعة اليوم، لكن الخلفية الذهنية التي أبدعتها لا تزال موجودة وهـــي تتجسد في مظاهر أخرى. وأظن إن ذلك كله يرجع إلى الشعور العميق بالقلق والارتياب الذي يعمر نفوس قادة المسلمين وزعمائهم إزاء الخارج، المتمثل اليوم في الغرب.

قال لي صاحبي: إن الغرب لا يتجسد في ذهنية المسلم المعاصر باعتباره وعاء لحضارة يمكن الاستفادة من تجربتها، أو ثقافة يمكن التفاعل معها، بل يتجسد كعدو يتربص الدوائر ويبحث عن الثغرات. ومع أننا قد أخذنا ببعض ما عند الغرب من علوم ومن أساليب حياة، إلا إن انتقال هذه العلوم والأساليب لم يغير نظرتنا المرتابة إليه، رغم إن هذا القدر من التواصل قد خفف بقدر ما من الرمزية العدوانية لصورة الغربي في الذهنية المسلمة[1].

ولعل الساسة الغربيين الذين عملوا لاختراق العالم الإسلامي، قد فوجئوا بضآلة ما حصدوه من نجاح رغم ضخامة الجهد الذي بذل لأجله. فاستعجلوا الأمر بترك الجمهور العام جانباً والاتكال على النخبة المالكة للدولة. واستعرضوا في كثير من الأحيان قوتهم العارية بقصد الإرهاب والتخويف، كما حصل منذ الاحتلال العراقي للكويت في أواخر 1990م. لكن انعكاسات هذا النوع من السياسات، لم يأت بالنتيجة المتوخاة، فالجمهور وان تراجع أمام الهجمة الغربية، إلا إنه اتجه إلى المزيد من الالتصاق بمقومات هويته، والتشدد في التمييز بين ما ينتمي إليها وما يبتعد عنها. وأدى ذلك إلى عزل النخبة المسايرة للغرب داخل المجتمع[2] واعتزال الدولة التي أصبحت منفصلة عن شعبها، بل وفي معظم الحالات قلقة منه أو معادية له. إن الانكماش على الذات والالتصاق بتجسيدات الهوية، والمبالغة في تعظيمها، هي

---

(1) د. نور الدين طوالبي: الدين والطقوس والتغييرات، (بيروت 1988)، ترجمة وجيه البعيني، منشورات عويدات، ص. 61.

(2) د. سعد الدين إبراهيم: تجسير الفجوة بين المثقفين وصانعي القرار، ص. 54.

الطريقة التي تلجأ إليها المجتمعات حين تعجز عن التصدي لهجوم خارجي يستهدف الهوية أو بعض مقوماتها[1].

وخلاصة القول إن ارتياب المسلمين في العلاقة مع الغرب، وترددهم في التفاعل مع حضارته، لا يعبّر في حقيقة الأمر عن ميل طبيعي إلى العزلة، ولا يرجع بالضرورة إلى استكبار على الغير. بل يرجع إلى قلق متجذر في أعماق المسلم المعاصر من أن يكون هذا التفاعل جسراً إلى التسليم الطوعي لسياسات الغرب وإراداته، ومن بينها - كما يعتقد معظم المسلمين - إلغاء الإسلام أو تهميشه، والاستيلاء على ثروات المسلمين أو استعبادهم. وهي إرادات لم يسلّم بها المسلمون يوم كان الغرب قادراً على قهرهم والاستيلاء على بلادهم، فهل يسلّمون وقد تغيرت الأحوال، فأصبح غرب اليوم غير غرب الأمس وأصبح مسلمو اليوم غير مسلمي الأمس؟

قلت لصاحبي: إن الانفتاح بذاته ليس سبباً للنفع أو الضرر. الوعي بفوائد الانفتاح والتحديد المسبق للأغراض المتوخاة منه، هو الذي يجعل الانفتاح مفيداً. وانفتاح الأمس إنما تحوّل إلى محنة بسبب غياب الوعي، وغياب الاختيار، وغياب التحديد المسبق للأغراض، وهذا هو أحد الأسباب المهمة للاختلال الراهن في الثقافة العربية، وفي العلاقة بين النخب المتعلمة والجمهور العام[2]. وإذا عدنا اليوم

(1) فادي إسماعيل: المصدر السابق، ص. 98.

(2) هادي الهيتي وخالد الراوي: نظرة في الاتصال الثقافي الدولي والعوامل الميسرة لسريانه من الغرب إلى العرب، في: إشكالية العلاقة الثقافية مع الغرب (بيروت 1997)، مركز دراسات الوحدة العربية، ص. 268.

إلى نفـس شـروط التجربة الماضية فقد لا نحصد أكثر من حصاد الأمـس، لكننا نريد اليوم انفتاحاً مختلفاً، قائماً على الاختيار ومع وجود حد أدنى من التوازن، والمعرفة المسبقة بما نريد وما لا نريد.

قـال لي صاحبـي: إذا أخذنا بنظرية توينبي حول صراع الحضارات، فقد كان جديراً بالهجمة الاستعمارية أن توقظ روح الـتقدم في المسلمين. إن مقاومة المسلمين لتلك الهجمة لم تكن هـزيلة أو محـدودة النطاق كما كانت مقاومة الهنود الحمر في أمـريكا، ولهذا فإنهم لم يسحقوا ويتلاشوا كما حصل لأولئك. وهـذا الأمر لا يقتصر على المجتمعات الإسلامية الكبيرة، فحتى الـصغيرة والمعـزولة منها، كما هو حال المجتمعات المسلمة في الـبلقان وآسيا الوسطى، بقيت محافظة على هويتها الثقافية رغم شـدة محاولات التفكيك التي قام بها الغزاة. ولهذا فإني أتساءل: لماذا لم يثمر هذا الصمود عن إطلاق لطاقات التقدم والإبداع بين المسلمين كما جرى في اليابان وألمانيا مثلاً؟

قلـت لـصاحبـي: إن هذا هو حقا سؤال المليون الذي حـارت في جوابه الألباب. ولا أظن إن بالإمكان تقديم سبب وحيد لتفسير ذلك النكوص. ثمة تفسيرات مختلفة، لكن ما يهمنا مـنها هو ذلك المتعلق بالثقافة. واستعير هنا استنتاجاً توصل إليه سياسـي مـسلم في سياق تقييمه للتجربة اليابانية، إذ يقول نجم الثاقب خان الذي عمل سفيراً لباكستان في اليابان:

فـسرت لي التجـربة اليابانية كيف إن القومية إذا فسرت بـصورة إيجابية واستخدمت على نحو سليم، قادرة على تشكيل تحالف ملائم مع التحديث. إن القومية فرس قوي إذا وضع أمام

عربة التحديث، فقد يقودها بقوة إلى أعلى الجبل، وإذا اعترضها فقد يقلبها، خاصة إذا كان القادة مهووسين بالسلطة[1].

الذي حصل في التجربة اليابانية، إنهم - رغم شدة تمسكهم بمقـوماتهم الثقافية الخاصة - لم يغلقوا عيونهم عن السبب الذي جعل الغرب متفوقا عليهم، أي التكنولوجيا والنظام الاجتماعي. لهـذا، فبالـرغم من الخسائر الكبيرة التي أثمر عنها الغزو الغربي لبلادهم، وبرغم الانكسار الروحي الذي عانوا منه لهذا السبب، إلا إنهم عقدوا العزم على إصلاح نظامهم الاجتماعي، ولا سيما سـوقه نحو الانفتاح الداخلي من خلال تبني النظام الديمقراطي، والانفتاح على العالم والأخذ بالعلوم والتكنولوجيا التي تطورت عند أعدائهم. وهم لم يذهبوا إليها - كما أشرنا سابقا - ذهاب الزبون، بل ذهاب المتعلم الذي يسعى للمعرفة كي يستغني بها عن معلمـه. وهـذا ما حصل عندهم وما أدى بهم إلى الارتقاء في مـدارج العلـم والثروة التي نعرفها اليوم. أما ما حصل في بلاد المـسلمين، فقد كان على الضد من ذاك. لقد بالغ المسلمون في المقاومة ووضعوا خصوصيتهم الثقافية سداً منيعاً بينهم وبين الغزاة الغـربيين، وهـذا ما يصفه نجم الثاقب خان بالقومية. وبكلمة أخرى فقد وضع المسلمون قوميتهم "أي هويتهم الخاصة، سواء كانت دينية أو عرقية" مقابل الحداثة التي نظروا إليها كمخلوق غربي، ولهذا أعرضوا عن النظر في إمكانية الاستفادة منها. وهذا ما أدى إلى بقائهم متخلفين عن ركب التقدم في العالم.

---

(1) نجـم الثاقب خان: دروس من اليابان للشرق الأوسط، (القاهرة 1993)، الأهرام، ص 21.

ويرمي نجم الثاقب خان جانباً من المسؤولين على قادة المسلمين ولا سيما في الحقبة التي شهدت بداية الاتصال بينهم وبين الغرب. وأظن إن هذا التفسير صحيح بالأمس كما هو صحيح اليوم. وأظن أيضاً إن المسؤولية ليست محصورة في قادة المسلمين السياسيين، بل تشمل أيضاً قادة الفكر والدين. فهؤلاء جميعاً ركّزوا على مقاومة المستعمر من خلال النفخ في نار التمايز بين الإسلام والغرب. وقد أثمر هذا عن تعزيز مكانتهم بين شعوبهم باعتبارهم ممثلين لروح المجتمع وهويته ورموزاً للتحرر من هيمنة الأجانب. لكن في المقابل فإن المبالغة في ذلك الأمر، ولا سيما تمديده عبر الأزمان، حتى في الوقت الذي تلاشت فيه الغزوة الاستعمارية، قد أدى إلى عزل المسلمين عن التطور الجاري في العالم. بكلمة أخرى فقد أستثمر هؤلاء القادة - عن غفلة أو قصد - قلق المسلمين من الهجمة الأجنبية ليعززوا زعامتهم الفردية أو الطبقية، بدل أن يستثمروا النهوض الروحي في سبيل إطلاق روحية التعلم والتقدم والإبداع التقني والعلمي في مجتمعاتهم. وهذا هو معنى كلام نجم الثاقب خان عن اعتراض فرس القومية لعربة التحديث.

وأريد لهذه المناسبة الإشارة إلى ذلك التيار من الثقافة الذي انتعش بين منتصف الخمسينات حتى أواخر السبعينات من القرن العشرين، والذي كان متمحوراً في مجمله حول الدفاع عن الإسلام وصد التأثير الغربي على الشباب والناشئة، من خلال التركيز على التمايز بين الإسلام وبين غيره. وتزعّم هذا التيار مفكرون تقليديون أو حركيون مخضرمون يرجع كثير منهم إلى جماعة الإخوان المسلمين في مصر. وكانت سمته الغالبة هي

السجال مع الغرب ولم يعبأ بنقد الذات أو النظر فيما يعاب عليها إلا نادراً. والحق إن ذلك التيار قد نجح في مهمته، رغم ما تركه من إشكالات ومشكلات. في ظرف المساجلة تحتاج إلى رد الذي يهاجمك من الخارج، كما تحتاج إلى تثبيت جبهتك في الداخل كي لا تتفتت أو تضعف، ولهذا فقد قلنا كثيراً من الكلام، مما هو أقرب إلى الأماني والافتراضات منه إلى الوقائع والمنجزات، من نوع إن تجربتنا القديمة أكثر تطوراً وقيمة من تجربة المدنية المعاصرة، ومن نوع إن العودة إلى التاريخ الذي مضى هي من لوازم استعادة الذات، وما إلى ذلك. ربما كان قول تلك الأشياء مفيداً لرد التحدي الوارد إلينا من الخارج بغرض السيطرة. لكن المشكلة أننا صدقنا كثيراً مما قلنا، خاصة من ذلك الذي أضفنا إليه مرادفات "أفعل التفضيل" ونجد الآن، وبعد أن انتهت المساجلة، أننا لا نزال مستريحين إلى ما قلناه سابقا، من أننا الأفضل والأمثل على كل صعيد، وإن غيرنا هو الأقل والأسوأ على كل صعيد. ونفرح كثيراً إذا اصطدنا خبراً هنا أو هناك يشير - ولو من بعيد - إلى صدق دعوانا. المشكلة أننا صدقنا ما قلناه مثل جحا الذي أراد تفريق الصبيان الساخرين منه ومن حماره فادعى إن الخباز في أول الزقاق يوزع الحلوى مجاناً لوجه الله. فلما انفض الصبيان عنه وتراكضوا نحو الحلوى المزعومة، ركض وراءهم جحا قائلاً لنفسه: لعل الأمر صحيح وإلا لما ذهبوا جميعاً وراءه. لقد افتعل الرجل طرفة ثم صدقها بعدما رأى نجاحها.

الكلام الكثير الذي قيل في ظروف المساجلة ليس حقيقياً بقضه وقضيضه، وإن اتصل بعضه بخيط من الحقيقة. لكن بعضنا

ربما يظن أنه كان ضرورياً لتسوير كياننا الذي تعرض للهجوم ونحن في لحظة ضعف. وقد مضى الآن ذلك الظرف وانقضى، ولم يعد خطر الهجوم الأجنبي ماحقا ورهيباً كما كان في النصف الأول من هذا القرن، فاليوم هو اليوم، وقد حان الوقت للنظر من جديد في أسباب ضعفنا الذي أغرى بنا الأعداء. وأول هذه الأسباب هو تخلف ثقافتنا الذي أورثنا ضعفاً في التنظيم الاجتماعي، وانغماساً في شكليات الحياة الروحية والمادية على السواء، وغياباً لحرية الفكر والرأي والتعبير وعزوفاً عن العلم والإنفاق عليه وتبجيل أصحابه، واستغراقا في استهلاك الموارد من دون تبصر، واستثماراً للدين والأخلاق في القهر والتسلط، وانكماشاً لشخصية الإنسان، حتى غدا كَلاً بعدما خلقه الله عَدلاً. وأثمر عن هذا وذاك تخلّف واضطراب في كل مجالات الحياة.

الانفتاح على الغالب والتحرر منه

قال لي صاحبي: إن قومنا يعتبرون انفتاحاً كاملاً كالذي تدعو إليه استسلاماً لما يصفونه بالهجمة الثقافية أو الغزو الثقافي. وهم يقولون إن الأمة الإسلامية لم تنهزم في مقاومة الثقافة الغالبة حين كانت ضعيفة، فأي حاجة تدعوها إلى الاستسلام بعدما نجحت في الصمود سنين طويلة؟ إن خطوة من هذا النوع قد تؤدي إلى هزيمة ثقافية، نهايتها القبول بهيمنة ثقافة الغالب، وان تلبست بعباءة الانفتاح عليه.

قلت لصاحبي: لقد انهزمنا وانتهى الأمر. إننا نقاوم هيمنة الثقافة الغالبة في صورة رمزية لا أقل ولا أكثر. حياتنا المادية

كلها خاضعة لتأثير المدنية الغربية، وليس بيدنا من أمرنا سوى ما نستشعره من استقلال روحي يميزنا عن الغرب الغالب، أما ما عدا ذلك فهو كله تقليد لهم أو مفروض علينا من قبلهم. و لم يحصل هذا وذاك إلا لكوننا قد هزمنا منذ زمن:

وما صبابة مشتاق على أمل   من اللقاء كمشتاق بلا أمل

والهجر اقتل لي مما أراقبه   أنا الغريق فما خوفي من البلل

قد ذقت شدة أيامي ولذتها   فما حصلت على صابٍ ولا عسل

فعلاجنا اليوم ليس في ادعاء القلق من الهزيمة، بل في البحث عن أسباب الضعف التي أدت إلى الهزيمة، وصولاً إلى استجماع القوة المادية والروحية والثقافية التي تمكننا من تحرير إرادتنا وأنفسنا وبلادنا من هيمنة الغالب. في عالم اليوم، لم تعد الغلبة مقصورة على السيطرة العسكرية المباشرة كما كان الأمر حتى منتصف القرن العشرين. الغرب اليوم مسيطر ليس بالضرورة بعساكره، بل بنظامه الاقتصادي المهيمن على العالم وبثقافته المنتشرة عبر كل وسيلة اتصال، وبعلومه التي لا مفر لأحد في شرق الأرض وغربها من الأخذ بها أو بمنتجاتها، وبنظامه السياسي المتقن والذي يتطلع البشر في كل بقعة من بقاع الكوكب للتمتع بفضائله. بكلمة موجزة: لقد هيمن الغرب علينا وعلى العالم كله لأنه تفوق حضارياً.

الخطوة الأولى للتحرر من هيمنة الغرب هي استيعاب الأسباب التي قادته إلى الحضارة والقوة، ثم إعادة إنتاجها وتطويرها ضمن إطارنا المعرفي الخاص، الذي يتناسب مع هويتنا وتجربتنا التاريخية الخاصة.

قال لي صاحبي: إذا اتفقنا على أن معرفة المراد شرط للتفاعل المثمر، فما الذي نريده على وجه التحديد. بكلمة أخرى: ما الذي سيجنيه المسلمون من وراء انفتاحهم على الغرب وتفاعلهم الايجابي مع حضارته؟

قلت لصاحبي: أهم ما نريد هو استئناف المصالحة بين العلم والهوية، الهوية بما تشكل من رؤية الإنسان إلى العالم، وبما هي تعبير عن ذاته وما يصلها مع الغير من بشر وأشياء أو يفصلها عنهم، والعلم بما هو طريق للإنسان لكشف حقائق الكون واستثمار إمكاناته التي أودعها الخالق فيه. نحن لا نريد من الغرب دينا، إنما نريد معرفة الطريق الذي يمكننا من إعادة إنتاج العلم وتطويره ضمن الشروط الخاصة لبيئتنا وتطلعاتنا.

في الماضي كانت القاعدة الفلسفية للعلم جزء من النسيج الخاص بالهوية الإسلامية، فأصبحت اليوم غريبة عنها. إن فشلنا في استثمار الانفتاح السابق يرجع - جزئياً على الأقل - إلى الانفصال المشهود بين متعلقات الهوية وعلوم الحياة التي تطورت عند غيرنا.

وأمّا سبب الانفصال بين العلم والهوية، فليس مما نسأل عنه الآن، فقد حدث منذ زمن طويل، يوم انهارت الحضارة الإسلامية وتوقف إنتاج الجديد من العلوم في إطارها المعرفي والاجتماعي، بل توقفت حركة العلم في شتى نواحيها، فتحوّل المجتمع المسلم من منتج للمعرفة يتقدم العالم في سعيه لبناء الحضارة الإنسانية، إلى وارث لذكريات المجد، لا ينتج علماً ولا يتفاعل مع التغيرات التي تترى من حوله. ثم مضت الأزمان، فتحولت الحضارة إلى الغرب.

وتحول معها إنتاج العلم إلى تلك الديار، فاستطاع أولئك بما آتاهم العلـــم من قوة، أن يسيطروا على بلاد المسلمين، بينما كنا في غفلة أو غفوة. فلما استيقظنا، أصابتنا الدهشة لأن العالم الذي كنا نعرفه تالـــياً لنا، أصبح في المقدمة، ففزعنا، ثم عدنا إلى الذكريات القديمة، نـــبحث فيها عن شيء يملأ فراغ الروح، بينما نتفرج حاسرين على مـــا يفعـــل أهل الحضارة الجديدة فينا، ونأمل أن يأتي اليوم الذي نـــستعيد فـــيه ما فقدناه[1]. ثم لما انتبهنا وأردنا أن نأخذ نصيبنا من الحـــياة، وجـــدنا أن لا سبيل سوى أن نتعلم من أعدائنا، إما لعدم وجـــود الـــبديل، أو لأنـــنا اتبعنا نهج المغلوب الذي يحاول التشبه بالغالـــب أملاً في كسب أسباب الغلبة، كما أشار ابن خلدون[2]. لكـــن المعرفة الجديدة التي أخذناها، لم تستطع التجانس مع الإطار الحضاري الذي تشكلت فيها هويتنا وأذهاننا، فلا هي اندمجت فيه، ولا هـــو تكيّف معها. ولأنه ليس من السهل على الإنسان التفريط في مـــا هـــو ضروري لترقية حياته، فقد اضطر بعضنا إلى تخصيص حجـــيرة في عقله لعلم الحياة، مع احتفاظه بهويته في حجرة أخرى، وقرّر بعضنا الآخر أن يفرغ له كل البيت، ووجد أقلنا أن البيت لا يحتمل ساكنين فأبقى ما كان على ما كان، متسلحاً بالمثل المعروف (قـــديمك نـــديمك). وفي كـــل هـــذه الأحوال كان الجديد يحتل مـــساحات متزايدة في حياتنا اليومية، بينما بقي القديم مثالاً يوتوبياً نـــتطلع إلـــيه رغـــم علمنا بأنه مستحيل التحقق، تحن إليه قلوبنا

(1) د. محمـــود ســـفر: دراسة في البناء الحضاري، (الدوحة 1409)، كتاب الأمة، ص. 46.

(2) عبد الرحمن بن خلدون: المقدمة (بيروت 1988)، دار الهلال، ص. 101.

وتستريح إلى ذكرى كمالاته نفوسنا مثل محب تطوف به الذكريات على مرابع حبه الأول بعد أن رحل ساكنوه..

نقّل فؤادك حيث شئت من الهوى   ما الحب إلا للحبيب الأول

كم منزل في الأرض يألفه الفتى   وحنينه أبدا لأول منزل

ويحدثنا الأستاذ فضل الرحمن، الذي كرّس أبحاثه لنسج مسارات جديدة للتربية والتعليم الإسلامي، عن تجربة باكستان، التي تأسست على مبرر واحد، وهو اختصاص أهلها بهوية تميّزهم عن بقية مواطنيهم من سكان الهند. يقول أن الجميع كان متفقاً في البداية، على أن الإسلام سيكون مضمون النظام الاجتماعي وفلسفة العمل، وستكون الشريعة إطار القانون في الدولة الجديدة. لكن الذي حدث بعد ذلك، هو أن المؤسسين وجدوا أنفسهم غرباء عما كانوا يتمنونه. فقد كانوا فريقين، فريق تعلّم في الإطار الحضاري الغربي، وهو لا يعرف من الإسلام غير الإيمان، وفريق تعلّم في الإطار الحضاري الإسلامي، وهو لا يعرف من بناء الدولة الحديثة إلا القليل، وما كان يتصوره عن الدولة الإسلامية من قبل، ليس سوى أمنيات أو احتمالات، ظهر أنها لا تنهض بالأعباء الجديدة.

هذا التمايز بين الثقافتين أدى إلى تعسّر التفاهم بين الطرفين، لا بسبب اختلاف المصالح أو الأغراض السياسية كما قد يُتصور، بل بسبب الاختلاف على تحديد المفاهيم، والاختلاف على تحديد القيم الكبرى الحاكمة على تنظيم المصالح العامة. وأخيراً عجز هؤلاء عن تقديم تصوّر متين لمشروع دولة حديثة مستمد من الإطار الحضاري الإسلامي.

ولم يرغب أولئك بالانتظار حتى يتبلور مشروع مناسب. فأسرعوا نحو أخذ المشروع الجاهز الذي تقدمه الثقافة الأجنبية. وهكذا فإن الأمل في ابتكار نموذج دولة يجسّد مكونات الهوية الثقافية التي بررت الانفصال عن الهند، سرعان ما تلاشى بقيام دولة باكستان على أساس علماني رغم لقب "الإسلامية" الذي يزين اسمها.

ويتساءل فضل الرحمن: هل نجحت التجربة؟ ويجيب أن أي تجربة حقيقية لم تجر على تلك الأرض[1]. بل لربما قال بعض الساخطين الآن، أن النظام الاجتماعي الغريب لم يفد هذا البلد بأي فائدة، ولهذا فإن باكستان تجتر آلامها ومشكلاتها منذ أن تأسست وحتى اليوم، وربما سيبقى الأمر على حاله حتى وقت طويل في المستقبل. مشكلات باكستان - مثل غيرها من الدول الإسلامية - تعبير عن الفشل في مشروع بناء الأمة nation building رغم نجاحها الأولي في بناء الدولة. وهي من ناحية أخرى تعبير عن الفشل في تجاوز المرحلة الأولى من التأسيس، التي قضت باستعارة ما عند الغير، على أمل أن يستعاض عنه مع الزمن، بإنتاج الخيارات الخاصة. تجربة باكستان هي نموذج لكل التجارب الأخرى في العالم الإسلامي، حيث تتصادم الضرورتان، ضرورة الهوية وضرورة الحياة.

قال لي صاحبي: لعل فشل المشروع الباكستاني مرده إلى حداثة التجربة. فحين حصل أهل تلك البلاد على فرصتهم

---

(1) فضل الرحمن: الإسلام وضرورة التحديث (بيروت 1993) ترجمة إبراهيم العريس، دار الساقي، ص. 162.

لإنشاء دولتهم الخاصة في العام 1947م، لم تكن فكرة المشروع الإسلامي ناضجة كما نتحدث عنها اليوم. ولعل الزعماء الذين تبنوا الدعوة إلى المشروع الإسلامي يومذاك كانوا يظنون الأمر متيسراً بالنظر لما عندنا من تراث ضخم ومتنوع. على أي حال لربما كان إلحاح الحاجة إلى إقامة الدولة بأي شكل كان، هو السبب وراء الميل إلى الأخذ بالتجربة الغربية الجاهزة بدل الانتظار حتى تتكامل ملامح المشروع الإسلامي العتيد.

قلت لصاحبي: الأمر سيان في ذلك الوقت وهذا. فمثلما ظن أولئك الزعماء أن بالوسع العودة إلى تراث الماضين لكي نحصل منه على مشروع لهذا العصر، فإن الكثير من أهل زماننا يظنون مثل ذلك. وللمناسبة فإن أبرز زعماء تلك الحقبة من الإسلاميين، أي العلامة أبو الأعلى المودودي لم يكن من ذلك النوع من المفكرين المأخوذين بالتراث القديم، بل لعلي لا أبالغ إن صنفته إلى جانب الحداثيين بين التقليديين[1]. وللحق فإن نتاجه الفكري يدل على اطلاع على ثقافة العالم وعمق في التفكير لا يتجاوز أقرانه من أهل زمنه فحسب، بل يفوق كثيراً من دعاة الإسلام الذين يعيشون بيننا اليوم، ولهذا السبب ربما كان المودودي قادراً على ترك أثر عميق على الفكر الإسلامي في شبه القارة الهندية وفي العالم الإسلامي بمجمله.

واعتقد إن السبب في فشل التجربة الباكستانية هو ذاته

---

(1) لفكرة سريعة حول حياة المودودي وابرز كتاباته، أنظر: سمير حلبي: أبو الأعلى المودودي.. داعية فوق السحاب، http://www.islamonline.net/Arabic/history/1422/09/article20.shtml

السبب في فشل التجارب الأخرى أو تعثّرها، ولعله السبب في جانب كبير من فشل المسلمين جميعاً في استنباط منهج للنهضة والتحرر من هيمنة الغرب الغالب. ويمكن تلخيص هذا السبب في عاملين: الأول: اعتقاد المسلمين في ذلك اليوم وفي هذا اليوم أن تراث أسلافهم قادر على تقديم الأجوبة المناسبة على التحديات التي يواجهونها اليوم. والحق أن الذي وصلنا من تراث الأسلاف كان جوابهم على تحديات زمنهم، وعلينا أن نستنبط الأجوبة المناسبة لتحديات زمننا. الثاني: المبالغة - التي أظنها غير مقصودة - في تحميل الإسلام أموراً ليست من سنخه ولا هي مطلوبة منه. وقد أشرنا خلال الأحاديث السابقة إلى أمثلة على هذا مثل مسألة النهضة. فالواضح أن على المجتمعات تصميم نموذج المدنية التي تريدها والبحث عن الطرق الضرورية للوصول إليها. وإذا كان للإسلام من دور في هذا الجانب فهو تقديم القيم والمعايير الأساسية وليس نماذج العمل التي تختلف بالضرورة من زمن لآخر ومن مجتمع لآخر. ولعل أبرز الأمثلة على هذا التحميل هو ادعاء أن الإسلام يفرض على أتباعه نظاماً خاصاً للسلطة مثل الخلافة أو الملكية أو الجمهورية، أو القول بأنه يحدد نظاماً لانتقال السلطة مثل الإيصاء أو بيعة أهل الحل والعقد أو غيرها. والحقيقة أن الدخول في هذه التفاصيل كان من الأمور التي أدت إلى فشل محاولات المودودي، فقد أغرق في الجدل حول دور الشعب وحدوده ونفى حق المسلمين في التشريع وغير ذلك مما يعد من المتغيرات التي لا ينبغي نسبتها إلى الإسلام أو الإدعاء بأن في الدين الحنيف قوالب ثابتة لها. ومثل المودودي فإن

كثيراً من علماء الشيعة المعاصرين وقعوا في ذات الإشكال حين قرروا أن نظام ولاية الفقيه هو الصورة الوحيدة للحكم المشروع، لا سيما وإنهم لم يتوسعوا في بحث هذا النظام، فجاء على الطريقة القديمة حيث أصبح الفقيه مثل ملك بدون تاج يملك ويحكم مدى الحياة ويتمتع بسلطات مطلقة لا حدود لها ولا رقابة - واقعية - عليها. بل أغرق بعضهم فادعى إن للفقيه صلاحية الحكم بما يمليه عليه نظره من دون التزام حتى بالدستور الذي هو بمثابة عقد بينه وبين شعبه. وقال هؤلاء - صراحة - إن رأي الفقيه فوق الدستور وإن بإمكانه تغيير الدستور متى شاء[1]. أقول إن تحميل الإسلام كل هذا العبء هو تكلف لا طائل تحته، بل مآله إلى تقييد عقول المسلمين وكبت تطلعاتهم وتعطيلهم عن إبداع نظام حياتهم وطريق تقدمهم.

والصحيح في رأيي هو أن هذه الأمور وأمثالها متروكة لإجماع المسلمين في كل بلد وكل زمن. وما يهم الإسلام أولاً وأخيراً هو القيم الأساسية التي يجب الالتزام بها على أي حال، مثل قيمة العدل والنظام والرحمة والتعاون والقوة، وما إليها. ونفس الشيء يقال عن تلك المحاولات المتكلفة لاصطناع أدب إسلامي واقتصاد إسلامي وطب إسلامي وما إلى ذلك. بديهي أن دور الدين ليس إنشاء العلوم، بل إحياء الروح والعقلية التي تنتج العلوم. الذي ينبغي أن نتطلع إليه في الإسلام، إذن هو تلك القوة الهائلة على إحياء النفوس الميتة أو المثقلة، النفوس المكبلة

(1) أنظر مثلاً محمد جواد لاريجاني: نقد ديندارى ومدرنيسم، (طهران 1997)، اطلاعات، ص. 65.

بقيود الجبت وقيود الطاغوت. الذي فعله الإسلام في يومه الأول هو تحرير النفوس والعقول. فلما تحررت، تحدت وأبدعت وتقدمت واتحدت وعزت وغلبت.

قال لي صاحبي: إن الذين دعوا بتلك الدعوات قد انطلقوا من حمية دينية وحرص على الدين، وهم يقيمون دعواهم على قاعدة أن الدين كامل شامل، وأن كتاب الله سبحانه قد أحاط بكل شيء وما ترك شيئاً إلا بينه وأوضحه، يقول تعالى ﴿مَّا فَرَّطْنَا فِي ٱلْكِتَٰبِ مِن شَيْءٍ﴾، (الأنعام 38).

قلت لصاحبي: سؤالك هذا يقودنا إلى مناقشات كثيرة غير ما نحن بصدده. لكني أجيبك على سبيل الاختصار الشديد على فكرة كمال الدين وشموله، فالذي نتفق عليه هو كمال الدين، والكمال وصف للكيف "الكمال يقابل النقص" فلا شك أن الإسلام ليس بناقص. أما الشمول فهو وصف كمي، ولو افترضنا أن شمول الإسلام منصرف إلى معنى أن فيه حكما لكل شأن من شؤون الحياة، فلا شك أن هذا غير صحيح إذ لا يطلب منا إسلامنا أن نعود إليه في كل صغيرة وكبيرة من شؤون الحياة. ألا ترى إننا نقوم يومياً بعشرات من الأعمال التي لا نرجع فيها إلى الفقيه بل إلى عقولنا أو إلى أهل الاختصاص كالمهندس والطبيب وغيرهم، فهذه الأمور ليست ضمن مجالات اشتغال الدين بل هي أمور عقلية لا تكليف فيها ولا إلزام ولا تدخل ضمن دائرة الثواب والعقاب أو الواجب والمحرم. وبالمناسبة فهذا النقاش ليس جديداً، فقد تطرق إليه بعض قدامى الفقهاء، وقد احتج بنفس المقولة الشيخ يوسف البحراني (ت – 1186

هـ/1772م)، ورد عليه النراقي (ت - 1245هـ/1828م) بالقول بأن المقصود هو ما يقتضي شأنه ووظيفته بيانه لا كل شيء على نحو الإطلاق. فالبديهي أن كثيراً من الأمور ليس مبينة في الكتاب، سواء الكتاب في معنى القرآن أو في معنى الشريعة. وذلك لأنها ليست مما هو مطلوب من الكتاب بيانها. كما أن عدم البيان لا يوجب الظن بالنقص فعدم بيان ما ليس مطلوباً ليس مظنة نقص. بل لعل بيان غير المطلوب يعد تكلفا، والتكلف مما يعاب على الكامل[1]. أما عن حمية أولئك الدعاة وحرصهم

---

(1) قال البحراني بان الأخبار مستفيضة في أن كل حكم مبين في الكتاب والسنة حتى ارش الخدش. البحراني، يوسف: الحدائق الناضرة (بيروت 1993)، دار الأضواء، ج. 24، ص. 382. وعقد الكليني باباً خاصاً عنوانه (باب الرد إلى الكتاب والسنة وانه ليس شيء من الحلال والحرام وجميع ما يحتاج الناس إليه إلا وقد جاء فيه كتاب أو سنة) أنظر الكليني: الكافي 113/1. وهوّن النراقي من شأن الروايات الواردة بهذا الشأن واصفاً إياها بأخبار الآحاد، وقال إن معناها بالتحديد هو أن ما كان فيه حكم، فقد بين القرآن أو السنة ذلك الحكم، لا أنهما قد بينا الحكم في كل موضوع. احمد النراقي: عوائد الأيام، (قم 1408)، مكتبة بصيرتي، ص. 123.

ومن المحتمل أن رأي النراقي كان يستهدف التأكيد على وجود دائرة من الأعمال خارج حدود التكليف، ضمن الجدل القائم حول تعريف الإباحة وما إذا كانت حكما أم لا، ومن المتفق عليه أن هناك موضوعات كثيرة لم ترد فيها أحكام في القرآن والسنة، وأبرزها الموضوعات التي ظهرت بعد انتهاء عصر النص، لكن البعض يجادل في أن هذه الموضوعات قابلة للتكييف ضمن احد الإطارات التي تندرج تحت القواعد الشرعية العامة، واقترح المرحوم الصدر دائرة موضوعية للمستجدات أطلق عليها اسم منطقة الفراغ التشريعي، وذهب إلى أن كثيراً من أحكامها يستنبط استناداً إلى القواعد العامة والترجيح بين المصالح.

فهو شعور مشكور ونسأل الله أن يثيبهم عليه. لكن صلاح النية شيء وصلاح العمل شيء آخر. ألا ترى أن بعض الآباء يضربون أبناءهم قصداً للتهذيب فيؤدي ذلك إلى كراهية الأبناء للآباء. بل ألا ترى أن تشدد بعض قومنا في إلزام غيرهم بطريقة تدينهم الخاصة قد أدى إلى نفور هؤلاء من الدين كلياً. فهذا وذاك دليل على أن النية الصالحة غير العمل الصالح. وقد كان حديثنا عن العمل وليس عن النية.

وعطفاً على حديثنا السابق أقول إن ذلك التكلف في ربط كل شيء بالإسلام قد عمّق من مشكلة التفارق بين العلم والهوية الذي اشرنا إليه. كل مسلم في هذا اليوم يريد المحافظة على هويته ويريد في الوقت نفسه الحصول على العلوم الحديثة التي تطورت عند الغرب. نحن نعلم أن لا سبيل للحصول على العلم سوى بالتعلم من أهله، لكن بالنظر لما قلنا من تفارق فقد أصبحنا نعيش حياة مزدوجة: نرغب في أن نكون مثل الغرب في علمه وتقدمه وقوة مجتمعه، وفي الوقت نفسه نعتبرها غير سليمة وغير مشروعة. وقد أدت هذه الازدواجية إلى التضحية بجوهر المطلب أي التعلم وإعادة إنتاج العلم، واستبدالها باستهلاك منتجات ذلك العلم. ترى دعاتنا مثلاً، بل جميع قومنا، يتبارون في استخدام احدث التجهيزات التي أنتجها العلم الغربي في كل مجال من مجالات الحياة. لكنهم لا يتوقفون عن شتم الغرب الذي أنتج لهم هذه الأشياء.

ولو اقتصر الأمر على الشتيمة لهان الأمر. لكن وراء هذا التركيز على التمايز والعداوة يكمن خلط رهيب بين فكرتين

مختلفتين تماماً: فكرة الاستقلال عن الغرب وفكرة الانفصال عنه. وقد كان الجدير بهم أن يركزوا على الأولى، أما الثانية فمستحيلة ومآلها تكريس الحاجة إلى الغرب والبقاء متكلين عليه. فكرة الاستقلال تعني بالضبط السعي للاكتفاء الذاتي في كل مجال من مجالات العلوم والاقتصاد والثقافة وغيرها. وأول هذا السعي هو الانفتاح على الغرب للتعلم منه ثم إعادة إنتاج ما تعلمناه ضمن إطارنا الثقافي الخاص. فإذا نجحنا في هذا المسعى فسوف نكون أنداداً للغرب قادرين على الاستقلال عنه، ولا يضيرنا يومئذ الاتصال به أو التعاون معه، لأن القوي والمكتفي لا يتأثر سلبياً بالتعاون مع منافسيه. أما فكرة الانفصال فإن تطبيقها الفعلي هو التناكر مع الغرب أي إلغاء القيمة المعنوية للعلم الذي نحصل عليه منه. ومآل هذا هو كسر السلسلة الطبيعية المفترضة لتطور العلم، أي الانتقال من التعلم إلى إعادة إنتاج العلم ضمن الإطار الثقافي الخاص. وهذا ما نجده اليوم واقعاً يمشي على قدمين. لقد تعلم عشرات الآلاف من المسلمين في الغرب، لكن تلك العلوم لا تحصل على التقدير والقيمة التي تليق بها بين قومهم. ولهذا فإن الأغلبية الساحقة من هؤلاء المتعلمين تكتفي بما تعلمته ولا تسعى إلى تطويره، أي لا تتعامل مع المرحلة الأولى كبداية لسلسلة، بل هي بالنسبة إليها بداية ونهاية.

إن التفارق بين العلم والدين الذي ننكره على الغرب، هو واقع قائم عندنا بل إننا نسعى فيه ونعززه من خلال النظر إلى هذه العلوم باعتبارها غريبة أو غير ذات قيمة. ولا أدل على

ذلك مما نراه من ابتعاد حملة هذه العلوم عن مراكز التثقيف الديني من مساجد وحسينيات ومؤسسات. والعجيب في الأمر أن بعض هذه المراكز تدعو أساتذة وعلماء من حملة العلوم المدنية للحديث إلى روادها، لكن ليس في مجالات اختصاصهم بل في مجالات التثقيف الديني بالمعنى الخاص. ومثاله الآخر إن البحث العلمي في مجالات العلوم المدنية لا يحصل على تمويل من الحقوق الشرعية كالزكاة والخمس والأوقاف وأمثالها. إنك ترى أهل المال ورجال الدين والدعاة والمؤمنين ينفقون الملايين من المال على بناء مسجد أو حسينية أو لنشر كتاب ديني، لكنهم لا ينفقون عشر ذلك على بحث علمي نظري أو تطبيقي، ولا يدعمون بالمال أو غيره مؤتمراً لحملة العلوم المدنية. فهذا وأمثاله دليل على أن هذه العلوم وحملتها لا يحظون في قومنا بالتقدير والقيمة التي تليق بالعلم وأهله. ولهذا السبب فإن الآلاف المؤلفة من الأخصائيين وأهل العلم الذين تخرجوا من جامعاتنا منذ أوائل القرن العشرين وحتى اليوم، ونظراؤهم الذين تخرجوا من الجامعات الغربية، لم يستطيعوا الانتقال من المرحلة الأولى أي كسب العلم إلى المرحلة التالية أي إعادة إنتاجه في بلادهم. اللهم إلا قليل نادر منهم، ثلة لا يزيدون عن عدد الأصابع.

وخلاصة القول هنا: إن التفارق بين العلم والهوية أمر طبيعي في البداية، فالعلم تطور خارج حدودنا. لكن كان علينا أن نعيد الاتصال بين الاثنين. واحسب أننا أغفلنا فكرة النهضة والتمدن ولم نضعها في المكان اللائق كهدف أسمى ودليل

لحياتــنا. ولــو فعلنا ذلك لوفرنا الفرصة لإعادة إنتاج العلوم الجديــدة ضمن إطارنا الثقافي، الأمر الذي سيؤدي بالضرورة إلى عــودة الــتلاحم بينها وبين هذا الإطار وبالتالي بينه وبين هويتنا الدينية والثقافية.

الفصل الرابع

سؤال الحداثة

قال صاحبي: نريد العودة إلى سؤال النهضة الذي تركناه، فقد اتفقنا على أن الخطوة الأولى للنهضة هي توجيه أصابع الاتهام إلى الذات. واتفقنا أيضاً على ضرورة الانفتاح على الغرب سعياً وراء اكتشاف ما قاده إلى التقدم وما أقعدنا عنه. وقد فهمنا خلال المناقشات السابقة أن الحداثة أو المعاصرة يجب أن تكون هدفنا الفوري، وتحدثنا عنها كطريقة في النظر للذات والعالم. لكن ماذا عن الأرضية الأيديولوجية للحداثة. هل ثمة فرصة للفصل بينها وبين أرضيتها تلك إذا كان قومنا غير راغبين فيها؟

نحن نتحدث عن مفهوم المعاصرة كمرادف يطابق مفهوم الحداثة. المعاصرة تتجلى في الإقلاع من المرحلة التقليدية التي لا نزال أسرى مفاهيمها وإطاراتها ومؤسساتها، إلى مرحلة الحداثة التي تمثل نمط الحياة السائد في العالم المتقدم. الأخذ بهذا المفهوم يقتضي ضرورة حل إشكالية العلاقة الثقافية مع الغرب. الحداثة في صيغتها الأوروبية غير قابلة للاندماج ضمن نسيجنا الثقافي، اللهم إلا أن نبذل جهداً لتعديلها، لا سيما في تلك الأبعاد التي تنطوي على تعارض أصلي وغير قابل للحل مع مكونات هويتنا الخاصة. إن قومنا يخشون من الحداثة التي تطورت مفاهيمها في الغرب لأنها تقوم

على قاعدة فلسفية تتعارض مع تلك التي نعرفها في الإسلام. ويرى كثير منهم أن أخذ المنهج دون فلسفته مستحيل. ولهذا اختلفوا في حدود ما نأخذ من الغرب، فنادى بعضهم بأخذ التجربة الغربية بقضها وقضيضها، وتعديل الإسلام كي ينسجم ومتطلباتها. وقال غيرهم بأخذ المنهج العملي وترك فلسفته. ورفضها آخرون كلياً وجزئياً لاستحالة الفصل بين الجانبين حسب رأيه. وهذا يظهر أن التفاعل مع التجربة الغربية ليس بالأمر اليسير.

قلت لصاحبي: الحداثة ليست إيديولوجيا مغلقة، وإذا كانت كذلك عند بعض أهلها فلسنا مضطرين للتعامل معها على هذا النحو إن أمكن لنا الفصل بين الأيديولوجي والوظيفي. وفي ظني إن من الممكن التعامل مع هذا الجانب بالخصوص والنظر إليها حينئذ كنموذج حياتي متعدد الأبعاد، ولا يضيره تعديل أحد أبعاده أو مكوناته. من الضروري أن نفهمها على هذا النحو كي نتعامل معها تعاملاً نقدياً. التعامل النقدي هو تأكيد على واحد من قواعدها الكبرى، أي كونها منتجاً إنسانياً قابلاً للتعديل والتطوير، لا أيديولوجيا ثابتة ولا وحياً منزلاً من السماء. وعلى هذا الأساس فإننا نختار الحداثة التي تناسبنا ولو اختلفت بعض الشيء عن مراد من جرّبوها قبلنا. لكن كما قلت فإننا نعاني فعلاً من مشكلة انعدام الإجماع على صورة العلاقة التي ينبغي أن تقوم بيننا وبين العالم المتحضر. وأحسب أن عجزنا عن الاتفاق على أمر بهذه الأهمية مرده إلى ما نشعر به في دواخلنا من مرارة الانفتاح السابق. أو لربما كان السبب هو قلق المغلوب من كلفة العلاقة مع الغالب. وفي هذا النقطة الأخيرة فإن القلق على

سيادة الدين ربما يكون هو الدافع الرئيس لتحاشي الغرب أو الارتياب في العلاقة معه. خاصة وإن المدنية الغربية تطورت بالتلازم مع العلمانية واستبعاد الدين من الحياة العامة.

عموماً، أرى أن قومنا على حق في قلقهم، لكنه لا يكفي لتبرير الإعراض عن التعاطي مع تجربة الحداثة التي غيرت العالم. وعلى أي حال فإننا بحاجة إلى علاج ينفي مبررات هذا القلق وإلا فإن التجربة لن تكون مثمرة.

لو تأملنا في بعض تجارب الحداثة التي خاضتها أقطار إسلامية فلربما انكشف لنا سبب القلق وكيفية علاجه. وأمامنا أربع تجارب فعلية تستحق التأمل: تجربة مصر وتركيا وإيران وماليزيا، ففي كل من هذه الأقطار قامت محاولات حثيثة للتحديث في النصف الثاني من القرن العشرين فأفلحت الأخيرة وأصبحت دولة شبه صناعية تصدر من المنتجات المصنعة ما يصل إلى مئات المليارات كل عام، وحققت تركيا نصف نجاح وأخفقت الأخريان. وفيما يتعلق بالبلدان الأربع فلا بد من الوقوف عند ملاحظتين جديرتين بالتأمل:

الأولى: إن الفارق بين هذه التجارب الأربع هو في النظام السياسي، فماليزيا ارتضت منذ البداية نظاما ديمقراطياً تعددياً وكفلت الحرية الكاملة لمواطنيها والمساواة بينهم على اختلاف أديانهم وأعراقهم وقبلت بسيادة القانون وعموميته. بينما أخذت تركيا بديمقراطية محدودة أو لنقل إنها نصف ديمقراطية. أما إيران ومصر فقد انتهجت حكوماتها نهجاً استبدادياً وقيدت الحرية بموالاة الحاكمين. في البلدان الأربع، كان للحكومة الدور

القيادي في التحديث، لكن ماليزيا - لنظامها الديمقراطي - سلكت سبيلاً ليّناً فشارك الشعب في الحركة، وحصل شبيه لهذا - غير كامل - في تركيا. أما في مصر وإيران فقد أرادت الحكومة فرض التحديث دون إشراك المجتمع في العملية، فذهبت الدولة وبرامجها التحديثية في واد والشعب في واد آخر.

الثانية: في البلدان الأربع نرى أن المشاعر الدينية لم تضعف ولم تنكمش بسبب سياسات التحديث. فالذين يذهبون إلى ماليزيا يلاحظون بسهولة أن الالتزام بشعائر الدين واسع إلى درجة تثير الاهتمام، وأبرز ما يلاحظه زائر تلك البلاد انتشار الحجاب بين النساء المسلمات. وفي تركيا وجدنا أن حزباً إسلامياً قد حاز الأغلبية المطلقة في الانتخابات البرلمانية لعام 2002م وانفرد بالحكم، وهي التجربة الأولى لحزب إسلامي في تلك البلاد منذ تأسيس الجمهورية. أما في إيران فقد قامت ثورة إسلامية جاءت بنظام ديني. ولا يقلّ التيار الديني في مصر قوة وانتشاراً عنه في غيرها إن لم يزد.

إن مستوى التديّن في تلك الأقطار لم يتراجع بسبب التحديث، بل إن صمود المشاعر الدينية وتصاعدها بموازاة الحداثة قد حمل عدداً من الباحثين على مسألة الفرضيات الأولية لنظرية التحديث التي سادت في الغرب وربطت بين التحديث - حتى في معناه المادي المحدود - وبين تراجع الدور الاجتماعي للدين[1].

---

(1) أنظر مثلاً: Khalilzad & Benard, "Secularization, Industrialization, and Khomeini's Islamic Republic", *Political Science Quarterly*, vol. 94, issue. 2 (summer, 1979), pp. 229-241.

وبالمقارنة بين تجربة الأقطار الأربعة ونظيرتها التي أعرضت عن الحداثة أو تراخت في الأخذ بأسبابها حفاظاً على التقاليد أو الدين، كما هو الحال في السعودية وإيران بعد الثورة، فإنه يمكن القول دون تردد إن مستوى التديّن في هذين القطرين وأمثالهما لا يزيد كثيراً عما هو عليه في الأقطار الأخرى، كما أن مظاهر الانفلات عن الدين أو التمرد على تعاليمه فيهما لا تقل عن تلك البلاد التي نعمت بالحداثة والحرية معا. وغاية الأمر أن الخوف من قمع السلطة أو الرغبة في تملقها يدفع معظم الناس إلى التظاهر بالتديّن والاستخفاء إذا أرادوا الانفلات من عراه، بينما الأمر في البلدان الحرة يجري على المكشوف حيث لا خوف من العقاب.

الاجتهاد وتجديد الدين

قال لي صاحبي: أين يقع الانفتاح والحداثة من سؤال التجديد في الفكر الإسلامي؟

قلت لصاحبي: سؤال الحداثة والانفتاح على العالم يقع في القلب من سؤال التجديد. واغتنم هذه المناسبة للإشارة إلى أن حاجة الدين إلى التجديد هي من مواضع الإجماع عند المسلمين، قدمائهم ومعاصريهم. وقد أشرنا سابقا إلى أن مرجعهم في ذلك حديث يروى عن سيد المرسلين. وكتب بعضهم كتباً مخصصة حول من ينطبق عليهم وصف المجدّد، منها "التنبئة بمن يبعثه الله على رأس كل مائة سنة" لجلال الدين السيوطي (ت - 911هـ/1505م) و"بغية المقتدين ومنحة المجدين في ذكر تراجم المجددين" لمحمد المراغي (ت - 1925). ومثل كل القضايا الدينية فقد تأثر النقاش في أمر التجديد بالتعصبات المذهبية

والجـــدالات السياسية، ولهذا أنكر العظيم أبادي في شرحه لسنن أبي داوود إمكانية أن يكون المجدد شيعياً[1]. واختلف المسلمون في معـــنى التجديد، ففسّره بعض القدماء كالسيوطي بالاجتهاد وفـــسّره غيره بغير ذلك، وفي عصرنا الحاضر ثمة تفسيرات كثيرة جداً. لكن مورد اهتمامنا هنا هو أصل الموضوع. فالقول بحاجة الدين للتجديد قائم على فهم مسبق فحواه إن الدين قد يفقد في بعـــض الظـــروف تأثيره في حياة المسلمين. وقد ورد في بعض الـــروايات (إن الإيمان يخلق - أي يبلى - في القلب كما يخلق الـــثوب، فجـــددوا إيمانكم). ولهذا فإن بعض قدامى المسلمين استعمل تعبير "إحياء" كمرادف لتعبير التجديد، ولعل أشهر من استعمل هذا التعبير هو الإمام أبو حامد الغزالي الذي عنون أشهر كتـــبه بـــــ "إحياء علوم الدين". من هنا نقول إن الحاجة إلى الـــتجديد ليست محل اختلاف. أما موضع الاختلاف فهو معنى التجديد وتطبيقاته. والذي يظهر لي أنه لا أهمية كبيرة للجدل في تحديـــد المعنى، فسواء كان المقصود هو تجديد الحياة الدينية كما هـــو تفسير محمد إقبال، أو تجديد الإيمان كما رأى عبد السلام ياسين، أو العودة إلى معتقدات الجيل الأول من الصحابة كما هو رأي أكثـــر الإخـــباريين وأهل الظاهر، فإن الجميع متفق على مـــسألتين: الأولى إن الإسلام قادر على التصدي للتحديات التي تواجهه على مر العصور. الثانية: إن المسلمين مكلفون باستنباط هذه القدرة، أي تحويلها من إمكانية إلى فعل.

---

(1) شمـــس الحق العظيم آبادي (ت 1329هـــ)، عون المعبود شرح سنن أبي داود (بيروت1995)، دار الكتب العلمية، ج6، ص. 263.

أشرنا في صفحات سابقة إلى أن لكل زمن أسئلته الخاصة، وسؤال التجديد الذي نطرحه اليوم هو تكثيف للحاجات والتطلعات التي تعتمل في نفوس المسلمين المعاصرين، وليس نسخة عما فكّر فيه أسلافهم في سائر العصور التي سبقت[1].
تمحور سؤال مفكري الإسلام في القرن التاسع عشر وأوائل القرن العشرين حول مشكلة التخلف، أي: لماذا تأخر المسلمون وتقدّم غيرهم، واتخذ المفكر الإصلاحي شكيب أرسلان (1869 - 1946م) هذا السؤال عنواناً لكتاب مشهور له. ونزعم أن الجواب على هذا أصبح معروفاً اليوم. أما جوانب النقص التي يشير إليها السؤال فقد تغيّرت أو تغيّر ترتيبها في سلم الأولويات. ثمة قضايا تراجعت أهميتها أو اندثرت، وبرزت قضايا أخرى فأصبحت جوهرية. نحن اليوم نضع في رأس أولوياتنا إمكانية تطوير نموذج سياسي يقوم على أرضية الشريعة الإسلامية ويضمن حقوق الإنسان وحرياته أي نموذج لمجتمع سياسي ديمقراطي يقوم على أساس القيم الدينية. مثل هذا المطلب لم يكن محل اهتمام في القرن الماضي أو ما قبله. نحن نتحدث اليوم عن الحداثة بكل معانيها وانعكاساتها وتطبيقاتها، ونتساءل عن إمكانية تصميم نموذج لحداثة إسلامية، وهذا الآخر لم يكن من بين إيحاءات سؤال التجديد في العصور السالفة.

فيما يتعلق بتأثير الانفتاح على الغرب، فإن التأثيرات السلبية

---

(1) رضوان جودت زيادة: التجديد بوصفه سؤال العصر: مراجعة لقرن مضى، الملتقى، خريف 2001، ن. إ.: /www.almultaka.net/web .m1 - p8.htm

لهذا الانفتاح لم تعد مقلقة بالدرجة التي كانت عليها في النصف الأول من القرن العشرين. ونشير هنا إلى حقيقة أن زعماء المسلمين وعلماءهم كانوا يومئذ يتوجسون مما ظنوا أنه طبيعة في علاقة المغلوب بالغالب تحمل هؤلاء - كما قرر ابن خلدون - على تقليد أولئك[1]. ولعل القلقين كانوا يسترجعون تجارب الماضي حين كان احتلال القوة الغالبة لأي قطر يؤدي أوتوماتيكياً إلى تحوّل أهله إلى دين الغالب، كما حصل للأقوام التي سيطر المسلمون على بلادها، وكما حصل للمسلمين الذين احتلت بلادهم مثل مسلمي الأندلس وكما حصل لبعض مسلمي أوروبا الشرقية. لكن ولأسباب مختلفة، بعضها يعود للإسلام نفسه وبعضها لما حصل من تغيّر في مفهوم الدولة الغربية المعاصرة، فإن احتلال الغربيين لأجزاء كثيرة من العالم الإسلامي لم يؤد إلى تغيير جذري في هوية المسلمين، وبقي الإسلام مكوناً أولاً للثقافة والهوية. وتدل أبحاث كثيرة - ومنها أبحاث أجريت لحساب الفاتيكان - إن الإسلام هو الدين الأسرع انتشاراً في العصر الحاضر، وهذا يشمل حتى الأقطار الغربية المتقدمة. وخلاصة القول إن الانفتاح على العالم ولا سيما الغرب المتحضر لا ينبغي أن يكون أمراً مخيفاً اليوم كما كان قبل قرن من الزمان.

نعود مرة أخرى إلى بيان العلاقة بين تجديد الدين والحداثة، فنقول: إن الحداثة السائدة في الغرب هي مرحلة من مراحل تطور البشرية، مثلما كان الإسلام في عهده الأول مرحلة من تلك المراحل. والحق أن تاريخ البشرية هو سلسلة متتابعة من

---

(1) ابن خلدون: المصدر السابق، ص 73.

التطورات وإن المراحل التاريخية المختلفة هي حلقات متصلة يرتقي الإنسان في كل منها درجة نحو الكمال. ونعرف جميعاً أن الرسول صلوات الله عليه ما كان بدعاً من الرسل بل جاء متمماً لرسالات من سبقه من أنبياء الله. ونفهم أيضاً أن رسالة الإسلام لا تنفي المساهمات القيمة للأمم السابقة في تطوير حياتها وترقية معايشها وعلومها، بل تلقي عليها القيمة التي تستحقها (إنما بعثت لأتمم مكارم الأخلاق). لقد احترم المسلمون تراث الحضارات التي سبقتهم وتعلموا منها وأعادوا إنتاجها ضمن إطارهم الثقافي والمعرفي الخاص، فتطورت على أيديهم. وفي بداية نهوض الغرب، استفاد علماء أوروبا من تراث المسلمين وطوّروه حتى وصلوا إلى المرتبة التي نعرفها عنهم اليوم. وهكذا هي مسيرة الإنسان في تجربته التاريخية المتواصلة وسعيه نحو الارتقاء. ومن هنا فلا غرابة في دعوتنا إلى الأخذ بما لدى الغربيين من علوم وتقنية ومعرفة كي نعيد إنتاجها ضمن إطارنا الحضاري ثم نطوّرها وعندئذ إما أن نسبق الغربيين فنستعيد المبادرة الحضارية التي فقدناها، أو نتسابق وإياهم فنكون مثلهم: حضارتين تتنافسان، حضارة تجمع الإيمان بالله إلى مدنية الدنيا وأخرى تقتصر على الثانية دون الأولى، ونترك للعالم الخيار بين هذه وتلك.

الحداثة هي عنوان لنمط حياة كامل توصل إليه الغرب، وهي أيضاً تعبير عن مرحلة زمنية تتمايز عما كانوا عليه في سابقتها، أي المرحلة التقليدية. الحداثة ليست مجرد تقدم تقني بل هي أيضاً نظام قيمي. ونحن بحاجة إلى الأمرين معا، أي التقنية والقيم. إني أركّز على هذا متمايزاً عما طرحه بعض قومنا في

أوقـــات مختلفة حين قالوا: نأخذ ما عند الغرب من تقنية ونترك القيم. إني أقول هنا بل نأخذ الاثنين، لكني اشترط أن يقع الأخذ بكل منهما ضمن علاقة نقدية، فلا نأخذ شيئاً على سبيل التقليد الأعمى بل نأخذه بعد التعمق والنقد والمجادلة والبحث عن كيفية تنـــسيجه ضمن ثقافتنا الخاصة. إن لدى الغرب من القيم ما هو نـــتاج لتجربة إنسانية عميقة، أنظر مثلاً إلى القيم الناظمة لحقوق الإنـــسان، والقيم الناظمة لسلامة البيئة، وتلك الناظمة للعلاقات الدولـــية، فكـــثير من هذه وأمثالها هي نتاج توصلت إليه عقول سـليمة بعـــد تجارب معمقة استمرت سنين طويلة، وهي ملك للبشرية جميعاً وليست حكراً على قوم دون قوم. صحيح أن فيها ما لا يتناسب مع ديننا، لكنا نقول إن العلاقة النقدية هي الوسيلة الوحيدة لانتخاب ما يفيدنا وطرح ما يضر. بكلمة موجزة فإننا بحاجة إلى النظر إلى الحداثة الغربية باعتبارها منجزاً إنسانياً يحق لنا أن نـــستفيد منه كما يستفيد منه غيرنا، وإن أخذنا بها يجب أن يجري ضمن علاقة تقوم على المجادلة والنقد وليس التقليد الأعمى أو الانبهار بالجماليات الشكلية. إن أخذنا بهذه الحداثة هو مرحلة أولى في طـــريق انطلاقـــنا نحو حضارة نقيمها بأنفسنا أو نكون شركاء في صناعتها وتحديد اتجاهاتها.

إن تجديد الإسلام هو في حقيقة الأمر تجديد حياة المسلمين، وتحـــويل الإسلام من مجرد إعلان عن هوية مختلفة إلى فاعل في تطويـــر حياة البشرية كلها، وهذا لا يتحقق إلا إذا تحولت حياة المسلمين من حال التخلف الذي هي عليه اليوم إلى حال المدنية الذي نأمله في المستقبل.

تعدد القراءات

قال لي صاحبي: لقد ذهبنا بعيداً في الأمر، وأحسب أن كثيراً من معاصرينا لن يروا هذا الحديث إلا تخرّصاً وابتداعاً في الدين أو انحرافاً عن جادته.

قلت لصاحبي: ستجد أناساً يقولون بهذا وتجد غيرهم يقولون غيره. الذي نقوله والذي يقوله غيرنا والذي يقوله كل صاحب رأي هو مساهمة في استجلاء الواقع طمعاً في الوصول إلى معرفة أرقى. لكن أياً من هؤلاء لا يستطيع إدعاء الوصول إليها يقيناً، فكل ميسّر لما فتح الله عليه ولعله يخطئ شيئاً ويصيب شيئا. ولعل من ميزات الإسلام البارزة أنه لم يسمح بوجود جهة وحيدة تنوب عن المشرع في تقرير الحق والباطل أو تنوب عن الناس في التفكير في الصالح والفاسد. في الإسلام كل مسلم شريك في صناعة الحقيقة الدينية، وكل صاحب علم مطلوب منه إظهار علمه. في كل الأحوال فإن تعدد الأقوال هو السبيل لجلاء ظلمة الجهل ومعرفة طريق السلامة.

قال لي صاحبي: كأننا نتحدث عن فكرة تعدد الحق التي جادل حولها فلاسفة الإسلام. إذا قلنا بأن جميع صيغ الإسلام صحيحة على اختلافها، فمآلنا هو القبول بفكرة تعدد الحق، أو على وجه التحديد تعدد الإسلام، بينما المعروف بيننا أن الإسلام واحد حتى لو اختلفت أفهامه بين الناس.

قلت لصاحبي: لا شك إن الدين في صيغته المجردة واحد غير متعدد، لكن مثل هذا الدين غير موجود في العالم الواقعي أو - على الأقل - غير قابل للفعل حتى لو وجد. نحن نتحدث عن

إسلام واحد، دين واحد، لكن بأفهام متباينة وتطبيقات مختلفة. الإسلام الواحد يتحول إلى متعدد حين يتفاعل في نفوس الأشخاص المختلفين. ذلك إن استيعاب العقيدة من جانب شخص ما، يتأثر في النقص والكمال بمستوى وطبيعة الثقافة التي تشكل الخلفية الذهنية لهذا الشخص، وتتجسد في تصوراته عن العالم والأشياء من حوله، وردود فعله على التحديات التي يواجهها. ولأن الناس يختلفون عن بعضهم في مسبقاتهم الثقافية، وردود فعلهم على ما يتوجه إليهم، فإن تفاعلهم مع الدين لن ينتج صورة واحدة في نهاية المطاف. بل سينتج صورة عند كل شخص تناسب مسبقاته الذهنية وخلفيته الاجتماعية ومحيطه الحضاري، وهي - لهذه الأسباب لا بد أن تختلف عن الصورة التي أنتجها الآخر. وأظن أن تجاهل تأثير البيئة الاجتماعية على فهم الدين عند الأشخاص المختلفين والجماعات المختلفة هو السبب في ظهور عدد من الإشكالات العسيرة في العلاقة بين طوائف المسلمين.

إن معظم الخلافات العقيدية والفقهية وانعكاساتها السياسية والاجتماعية، هي ثمرة لظن كل فريق بأن ما يحمله هو الحق الوحيد وإن غيره باطل أو حق ناقص. فتراهم يصفون أنفسهم بأهل الحق أو الجماعة الناجية وينسبون إلى غيرهم كفر العقيدة أو العمل، أو الضلال عن الطريق المستقيم أو الانحراف عن جادة الصواب أو الابتداع وما إلى ذلك من الأوصاف. لكن هذه الأقوال كلها غير ذات ثمرة. وهي بالمناسبة مسألة قديمة التفت إليها العديد من الفقهاء ولا سيما المجتهدين منهم حين استشكل

الإخــباريون عليهم بأن الاجتهاد قد يورث ابتداعاً في الدين، لا سيما إذا وضع رأي الفقيه في مرتبة الحكم المنــزل من عند الله سـبحانه. فــردوا على هذا الإشكال بالتمييز بين مستويين من التشريع: القطعي أي حكم الله ومراده، والظني أي ما يظنه الفقيه حكماً مراداً من قبل الله سبحانه، لكنه لا يضعه في مرتبة الحكم الـسابق، إذ لا يعلم مراد الخالق إلا هو سبحانه. لكننا مع ذلك نأخذ بتلك الأحكام الظنية بعد الاجتهاد والمحاولة وأعمال العقل والاســتدلال، بناء على أن سعي الإنسان لإصابة الحق هو بذاته مراد الخالق ﴿وَأَن لَّيْسَ لِلْإِنسَـٰنِ إِلَّا مَا سَعَىٰ * وَأَنَّ سَعْيَهُۥ سَوْفَ يُرَىٰ * ثُمَّ يُجْزَىٰهُ ٱلْجَزَآءَ ٱلْأَوْفَىٰ﴾، (الـنجم 39 – 41)، أما التحقق من النجاح في إصابة الحقيقة فليس تكليفاً على الإنسان، إذ التكليف مـشروط بالـسعة ولا يكلّف الله نفساً إلا وسعها. ولو كان الإنـسان قادراً على إصابة مراد الخالق في كل حال لما كان ثمة فرق بين علمه وعلم الخالق، وهذا القول باطل بالضرورة، ولهذا اعتبر أهل العلم السعي وبذل الجهد كافياً لنيل ثواب الله ورضاه، حتى لو قصر عن إصابة الصواب.

على المرء أن يسعى بمقدار جهده   ولـيس علـيه أن يكون موفقا

بـناء على هذا نقول إن الأصل في تقييم العمل الديني هو النـية، فإذا كانت نية الإنسان أو الجماعة هي نيل رضا الله من خلال التعبد بما تراه دينا، فذلك هو مقدار ما تحاسب عليه (إنما الأعمال بالنيات وإنما لكل امرئ ما نوى). وهذا يقودنا ضرورة إلى إعـادة تعريف العلاقة بين الدين والمؤمنين، فنقول إن الدين واحـد لكن التديّن قد يكون متعدداً، وهذا التعريف يقوم على

قاعـــدة التمييز بين علم الله بما يريد وبين معرفة العباد بما يريده خالقهم. بديهي أن علم الله كامل، فهو على الدوام واحد، لهذا لابد أن يكون دينه واحداً، أما معرفة العباد فهي ناقصة وبالتالي فهـــي متغيّرة ومتطورة، ولهذا فلا بد أن تكون متعددة، وبالتالي فإن تديّنهم متعدّد أيضا.

قـــال لي صاحبـــي: إذا كان الأمر كما تقول فلماذا أنكر بعـــض قومـــنا - ولا سيما أهل العلم منهم - الدعوة إلى تعدد القراءات أو تعدد الاجتهاد في الدين؟

قلت لصاحبـــي: الجدل في تعدد القراءات يختلف عن القول بـــتعدد الاجـــتهاد. إذ لا ينكـــر أحد - حسب علمي - تعدد الاجتهاد، وهم يقبلون ما ينتج عنه من اختلاف في الرأي حتى في المسألة الواحدة. أما الجدل في تعدد القراءات فهو أعمق غوراً وأبعد أثـــراً. الدعـــوة إلى تعـــدد القراءات حمل رايتها عدد من المفكرين الإســـلاميين الـــذين ينكـــرون دعوى الروحانيين في الاختصاص بالاجتهاد في الدين وما يرتبط بها من ادعاء نوع من القيمومة على الـــدين والمؤمـــنين. ولا شك عندي أن هذه الدعوة قد تأثرت - بـــشكل أو بآخـــر - بدعوات الإصلاح الديني التي ظهرت في الغرب، سواء تلك التي ركزت على الجانب الفلسفي، مثل فكرة التأويل الفلسفي للنص الديني Philosophical Hermeneutics التي دعـــا إليها في أول الأمر متكلمون بروتستانت مثل كارل بارث (1886 - 1968م) ثم طـــوّرها مـــن بعدهم فلاسفة بارزون مثل مـــارتين هايدجـــر (1889 - 1976م) وهانـــز جورج غادامر (1900 - 2002م). أو تلـــك التي اهتمت بإصلاح المفهوم الديني

للحــياة المادية والــسلوك اليومــي مثل دعوة المصلح الديني البروتــستني جون كالفين (1509 – 1564م)[1]. قلت إن الذي حمل راية الدعوة مفكرون إسلاميون لم يحصلوا على تعليمهم في المدارس الخاصة برجال الدين، بل في الجامعات والمدارس الحديثة، وتركــزت دعوتهم على جانبين: إنكار حصر الاجتهاد والمعرفة الدينــية في رجال الدين، والمطالبة بتغيير المنهج المتبع في مدارس العلــم الــديني التقليدية باعتباره عاجزاً عن استيعاب التحديات المــتوجهة إلى الــدين بسبب التغييرات العميقة التي طرأت على الحياة والأفكار في إطار المدنية المعاصرة. وأظن إن أوسع وانضج مــستوى من النقاش حول هذه المسألة هو ذلك الذي يدور في إيران منذ أواخر الثمانينات وحتى اليوم. في هذا البلد ينكر أولئك المفكــرون – وبينهم عدد من رجال الدين المجتهدين – صلاحية الفقه التقليدي الذي ورثناه عن الأسلاف لزمن المسلمين الحاضر ويــرونه عقبة تعيق التفاعل المطلوب بين الدين والحداثة. وهم لا ينكــرون فقط صلاحية الأساليب والمناهج المستعملة في البحث الفقهــي المــوروث، بل ينكرون أيضاً صلاحية المعايير القيمية والأســس الفلسفية التي يقوم عليها ذلك البحث. ويدعون بدلاً مــن ذلك إلى قراءة جديدة للدين تقوم على قيم ومعايير مختلفة،

---

(1) لمزيد من المعلومات حول كالفين، بارث، هايدجر، وغادامر، أنظر
Christian D. V. Dehsen, *Philosophers and Religious Leaders*, Oryx Press, (Phoenix, 1999).
ولمناقشة مقارنة حول التأويل الفلسفي، أنظر Paul J. Achtemeier, *An Introduction to the New Hermeneutic*, Westminster Press. .(Philadelphia, 1969)

تلبي في رأيهم متطلبات العصر الراهن وحاجات أهله[1]. في رأي محمد خاتمي، وهو واحد من أبرز مفكري هذا التيار، فإن السمات الأساسية للقراءة الجديدة للدين تتضمن ما يلي:

أولاً: إن الإنسان هو محور التشريع. الإنسان في الإسلام مكرّم، وهو حامل للروح الإلهية والعقل الذي هو رسول باطني. كرامة الإنسان وعقله هو الذي جعل النوع الإنساني مؤهلاً لخلافة الله في الأرض، ولهذا وذاك فإن الإنسان الفرد موصوف بالرشاد والعقلانية والقدرة على معرفة الله ومعرفة العالم وتمييز المصالح، وهو بناء على هذا حرّ في اختيار طريق حياته ومعتقده ومجتمعه، وقادر على حمل المسؤولية عن خياراته، فلا يحتاج إلى من ينوب عنه في هذه الأمور، ولا يجوز قسره على ما لا يريد.

ثانياً: كمال الدين معناه كمال الهداية. يوفّر الدين تلك المعارف التي تتجاوز مستوى العقل الإنساني، أو يصعب الوصول إليها على معظم الناس، أو تتطلب جهداً أو زمناً يتجاوز القدرات العادية للأفراد. أما المعارف والأمور التي يمكن للإنسان أن يتوصل إليها بنفسه سواء من خلال التفكر أو التجربة، فإنه لا ينبغي انتظار توفيرها من جانب الدين. في هذه الأمور فإن غاية ما يوفره الدين هو الإرشاد أو "إثارة العقول". ولهذا لا ننتظر من الدين أن يتحدث في الأمور العلمية التجريبية أو الرياضية أو حل المشكلات العلمية المتعلقة بعلوم الطبيعة، وكذلك الحال في مجال العلوم الإنسانية.

---

(1) لتفصيل حول هذه النقطة، أنظر محمد مجتهد شبستري: هرمنيوتيك، كتاب وسنت، طرح نو (طهران 2000). أيضاً: شبستري: نقدي بر قراءت رسمى از دين، طرح نو (طهران 2000).

فحيـــثما كان الإنسان قادراً على التوصل إلى حاجاته فإنه لا ينبغي توقع الحصول عليها جاهزة في النص الديني. موضوع الاجتهاد في الـــدين هو الأحكام التي هي التزامات على الإنسان تجاه الخالق أو بقـــية المخلوقين وليس العلوم البشرية، ولهذا فإن هذه العلوم ليست مجالاً لاشتغال النص الديني ولا الاجتهاد ولا ينبغي حشرها في علوم الدين وأحكامه. وبناء عليه فإن العلم مستقل عن الدين، ولا يصح للفقيه المختص بشؤون الدين فرض نفسه أو مقولاته على البحوث المتعلقة بالعلوم الأخرى. كما فعل قادة الكنيسة في العصور الوسطى حـــين حاربـــوا علماء الفيزياء والفلسفة نظراً لأن بعض مقولاتهم تخالف ما هو مأثور من تقاليد الكنيسة وعلومها وما فهمه أهلها من الإنجـــيل. وبكلمة موجزة فإن للدين مجالاً حيوياً خاصاً به وللعلم مجـــال آخر. ولا يصح أن نخلط بين الاثنين أو نلغي استقلال كل منهما بمجال اشتغاله ومقولاته.

ثالثاً: وفقاً للقاعدة السابقة فإن السياسة، أي التدبير والإدارة في المجال العام هي عمل عقلائي يستفيد من تجارب البشر ونتاج عقولهم، وليست من الأمور العبادية أو التأسيسية أو الثابتة التي لا تـــتغير أحكامهـــا بين زمان وآخر وبين ظرف وآخر. وفي مجال الـــسياسة فإن الدين يوفر الأهداف الكبرى والقيم المعيارية وربما بعض طرق العمل السلبية والايجابية والجزئيات على سبيل التمثيل والإرشـــاد. وعلـــى ضـــوئها يقوم المسلمون بصياغة نظامهم الـــسياسي. ورغم أن الإسلام لا يتلاءم - بالضرورة - مع كل نظام سياسي، إلا أن هذا لا يعني أنه بالضرورة يريد شكلاً واحداً وثابـــتاً للنظام السياسي في كل الأزمنة والأماكن. وعليه فإن من

الممكـــن ابتكار أنواع متعددة من السياسات التي تلبي حاجات الناس في عصر معين، وتنسجم في الوقت نفسه مع القيم الدينية. وخلاصة ما يقال هنا أن الإسلام لم يحدد نموذجاً خاصاً للإدارة السياسية ملزماً لكل المسلمين في ظروفهم المختلفة.

رابعـــاً: ينقـــسم الحكم الشرعي إلى نوعين: ثابت متغيّر. والمتغيّر راجع إلى المجتمع المسلم تعاد صياغته اعتماداً على العقل الجمعـــي وبمـــا يحقق مصالح المجتمع في كل ظرف من الظروف، ومعظم الأحكام المتعلقة بالحياة العامة هي من هذا النوع.

خامساً: الظرف الزمني والموضوعي يؤثر بصورة حاسمة على صـــناعة الرأي والاجتهاد. خلال الأزمان السابقة أضاف الفقهاء والمتشرعون إلى الشريعة بعض ما كان سائداً في زمن الوحي وما تلاه من أعراف وتقاليد وعادات اجتماعية بحسبانها سيرة مقبولة أقرها الرسول وصحابته، واعتبروا تركهم لها دليلاً على صحتها ومـــرجعيتها. ومع مرور الزمن أصبحت هذه الإضافات ملازمة للـــنص وطـــريقاً لفهمه، وصنّفها البعض ضمن ثوابت الشريعة. بالنظـــر إلى دخالـــة الزمن في الاجتهاد المطلوب، فهذه الثوابت المفترضـــة تخضع أيضاً لنظر المجتهد الذي يمكن له أن يستبدلها بما هـــو أقرب إلى روح العصر الذي يعيش. إن قدرة الإسلام على عـــبور الزمان والمكان مشروط بتخليصه من الإضافات المتعلقة بالمحل والزمن الخاص بوقت النص[1].

---

(1) محمـــد خاتمـــي: "مـــردم ســـالاري ديني"، (طهران، 4 أغسطس 2001) .www.kadivar.com/Htm/Farsi/Papers/Paper006.htm

قال لي صاحبي: السمات المذكورة للقراءة الجديدة التي يطالب بها أولئك المفكرين قد تشي بأن مجالها محصور في السياسة العامة دون غيرها من شؤون الحياة.

قلت لصاحبي: هي كذلك في أولها، لكنها تتسع لما هو أبعد. فهم يتحدثون عن مجالات أوسع تتناول جوانب كثيرة من الفكرة الدينية وتطبيقاتها في الحياة اليومية للإنسان والمجتمع. أما تركيز الفقرة التي نقلناها عن السيد خاتمي على السياسة العامة فيعود إلى أن المصدر الذي وردت فيه تلك الأوصاف هو مقال حول الديمقراطية الدينية. ولهذا فقد كان من البديهي أن يتمحور الكلام حول الموضوع السياسي. لكن قد تجد في كتب أو مقالات أخرى لخاتمي ونظرائه توسعاً في البحث يغطي جوانب أخرى. وعلى أي حال فإن السمات المذكورة أعلاه توفّر تعريفاً كافياً بالخطوط الرئيسية لفكرة القراءة الجديدة، مثل اهتمامها بالإنسان الفرد وكونه أهلاً للثقة، خلافاً للمنظور التقليدي الذي يرى الفرد أميل إلى الفساد لو ترك من غير رقيب. وهي أيضاً تدعو إلى تعيين الإطار الوظيفي للشريعة المقدّسة، ولا سيما عدم تمديد الطابع المقدس والإلزامي إلى المجالات التي لا علاقة لها - من حيث الطبع الأولي - بالشريعة، خلافاً لرأي التقليديين من أهل العلم الديني الذين يفتون في كل شيء من تفسير الأحلام إلى أحكام الصلاة مروراً بالاقتصاد والسياسة والاجتماع وعلاج المرضى. وهي من جهة ثالثة تدّعي أن للمجتمع دوراً في صياغة الحكم الشرعي اعتماداً على أن المصالح والمفاسد موضوعات عرفية وتشخيصها راجع إلى العرف، خلافاً للرأي التقليدي القائل بأن صياغة الأحكام وتشخيص المصالح

والمفاسد راجعة كلها إلى الفقيه. إضافة إلى هذا فإن القراءة الجديدة تنكر وجود نظام ثابت للإدارة العامة والنظام السياسي في الإسلام، بينما تميل أكثر مدارس العلم الديني إلى القول بأن نظام الإسلام السياسي والاجتماعي محدد ولا يمكن تغييره، ويتحدث بعضهم عن الخلافة باعتبارها النظام الإسلامي الأعلى ويجادل غيرهم دون ولاية الفقيه وسلطته المطلقة كما هو الحال في إيران المعاصرة.